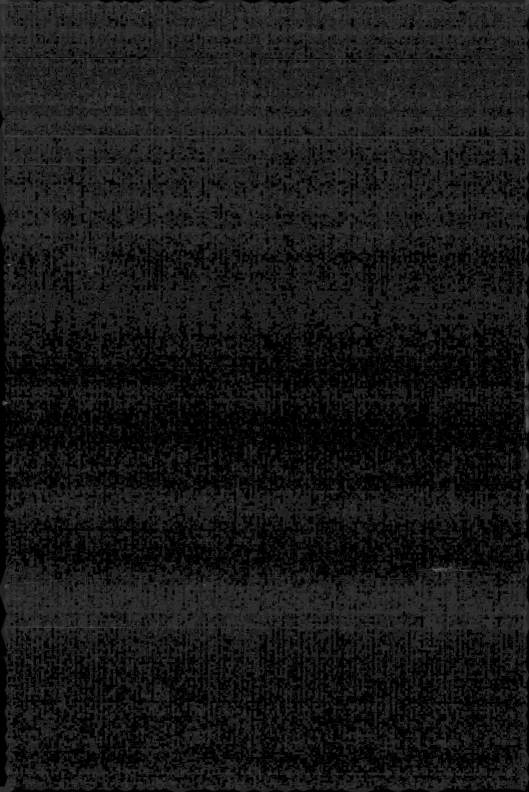

谁 的 尸 体

第 一 章

"哦，见鬼！"彼得·温姆西勋爵说，"喂，司机。"
此时出租车已来到皮卡迪利广场。

司机正要把车拐上一个陡峭的急转弯而开到劳尔·雷根
特街，听闻乘客的喊声，出租车便猛地横穿过十九路公共汽
车专用道、三十八号 B 级公路和一条自行车道停住了。司
机显得有些不耐烦，可还是耐着性子勉强听着。

"我忘记带书单子了，"彼得勋爵诚恳地说，"我很少
这么疏忽大意的，给您添麻烦了，请再拐回去一趟好吗？"

"是去塞威尔俱乐部吗，先生？"

"不是。还要稍微远点，是皮卡迪利一一〇 A 号。
谢谢。"

"看在你这么着急的份上，我们还是折回去吧。"司机
感到有些恼火地说。

"那地方的确不太好走。"彼得勋爵表示理解地安慰着
司机。看上去仿佛是头顶上那顶帽子的自然延伸，他那张和
蔼可亲的长脸显得是那样的干净、清晰。

一位神情严肃的警察站在那边，于是出租车只好在警察的眼皮底下缓慢地颠簸着向前行进，发出仿佛像牙齿打颤一样的噪音。

这是一幢外形华美而高贵的新公寓楼，彼得勋爵就住在二楼。大楼主体正对着绿莹莹的家园。由于经济萧条的原因，许多年过去了，大楼还只是建好了一个主体结构。彼得勋爵刚走进房间，便听见书房里传来男仆的声音。声音响亮但决不刺耳，一听便知道在接听电话的人在此方面受过良好的训练。

"我想一定是爵爷大人回来了，夫人您请别挂电话。"

"什么事，邦特？"

"是公爵夫人从丹佛打电话过来，爵爷。我正说到爵爷去特价市场的时候，就听到爵爷您用钥匙开锁的声音。"

"谢谢，"彼得勋爵说，"你见到过我的书单吗？我一定是放在床上或者书桌上了。"

他坐在电话机旁，尽量放松着自己，表现出一副谦恭的神态，那情形就像是遇到熟人聊天一般。

"喂，母亲，是您吗？"

"亲爱的，你回来了。"公爵夫人的声音从电话另一头传了过来，"我还以为找不着你呢。"

"不会的，我刚才要去布罗科勒布里的特价市场挑选一两本书，可是忘了带书单，所以只好赶回来取。您找我有什么事吗？"

"有一件怪事，"公爵夫人说，"我必须告诉你。你认识小个子西普斯吗？"

"西普斯？"彼得勋爵说，"西普斯？啊，对了，那个小个子建筑师，专门干教堂屋顶的建设的，没错，他怎么了？"

"西罗格莫顿夫人刚才来过我这里，神情很不安。"

"对不起，母亲，我听不很清楚，哪位夫人？"

"西罗格莫顿——西罗格莫顿——教区牧师的夫人。"

"西罗格莫顿，是她啊。"

"西普斯先生今天早上给他们打电话，他原来打算今天要过去一趟的。"

"是吗？"

"他打电话告诉他们说他今天过不去了，他简直是倒霉透了，可怜的小个子。他在自己家的浴室里发现了一具尸体。"

"对不起，母亲，我听不清楚，发现了什么？在哪里？"

"亲爱的，发现了一具尸体，在他的浴室里。"

"什么？——不，不，请别挂断电话，我们还没说完呢。喂！喂！母亲，喂！母亲，啊，对不起，刚才有个接线员女孩要掐断线路。尸体是什么样子呢？"

"是个男人，除了鼻梁上架着一副夹鼻眼镜外，身上一丝不挂。西罗格莫顿夫人跟我说起这事的时候，还很不好意思。我想也许生活在乡村教区的人观念都比较保守吧。"

"听起来很不正常，他认识死者是谁吗？"

"不认识，亲爱的，我想他不认识。不过，他没有告诉她更多的细节。她说她听得出来他非常沮丧。他是个多么受人尊敬的小个子呀。现在警察已经到他的住所去了，真为他担心。"

"可怜的小个子西普斯！赶上这样的倒霉事。我记得他住在巴特西，对吧？”

"是的，亲爱的，是卡罗琳皇后公寓五十九号。那幢公寓楼就位于家园的对面，从医院拐个弯就是。我想你说不定想赶过去看看他，问问我们能为他做点什么，我始终觉得他是一个大好人。"

"绝对是。"彼得勋爵说，冲着话筒咧嘴笑了。正是因为他对刑事案件的特别嗜好，使得公爵夫人也已经变成他最得力的助手。这一点虽然她从来都不曾承认，而且由于身份的原因，也从不肯将这种想法捅破。

"是什么时候发现的，母亲？"

"我想可能是今天一大早吧，不过，他最初并没想过要告诉西罗格莫顿夫妇。她是在午饭前到我这里的——一脸很烦的样子，我就留她多呆了一会儿。很幸运的是，我一个人过习惯了，也不在乎寂寞，但我可不愿意看见我的客人感到乏味无聊。"

"亲爱的老妈！太感谢您了。我会马上让邦特去特价市场，然后自己步行过去，尽我所能安慰一下那个不幸的人。就这样吧。"

"再见，亲爱的。"

"邦特！"

"是，爵爷大人。"

"公爵夫人告诉我说，有一位受人尊敬的巴特西建筑师在他的浴室里发现了一具男尸。"

"真的吗，爵爷大人？这简直太令人感到兴奋了。"

"的确是，邦特，你倒挺会措辞的。我倒希望伊顿和巴利奥尔学院也教会了我这样的能力。你找到书单了吗？"

"就在这里，爵爷大人。"

"谢谢。我要马上到巴特西去。你替我去特价市场。别误了时间——我可不想错过收藏但丁和德·沃雷根作品的机会。在这里，你看，这本《戈尔登传奇》明白了吗？还有，特别留意一下卡克斯顿的《艾蒙的四个儿子》对开本版本，它是唯一一本一四八九年印刷而成的书。瞧，凡是我想要的都已经做了标记。每一种我都愿意出最高价，你尽一切努力把这件事情做好。我回来吃晚饭。"

"没问题，爵爷大人。"

"你就坐我的出租车去，告诉司机快一点。他也许能接受你，但他的确不大喜欢我。我能——"彼得勋爵说话时站在壁炉台面一侧对着一面非常古老的 18 世纪的镜子照着，"我能铁着心肠再刺激一下已经惊恐万分的西普斯吗——直截了当实在有些困难。或者我戴上大礼帽，穿上那件双排扣外套去呢？不能这样，他十有八九不会注意到我的裤子，而以为我是殡仪馆的工作人员。就穿一套灰色西服，不错，整洁又不显得过于奢华，戴一顶颜色与服装相配的帽子即可。作为一名业余爱好者参与调查第一例案件，这是一个起点。崭新的主旋律往往都一定从巴松管的独奏开始。我要加入福尔摩斯们的行列了，举止上必须像一位努力实践的绅士。邦特走了，难得的伙计，交待过的事就让他去做吧，用不着放心不下。但愿他至少不会错过《艾蒙的四个儿子》那本书。不过，在梵蒂冈还有另一种版本，或许也可以搞到。要是罗马教堂突然塌陷了呢？或者瑞士入侵了意大利——谁能料到呢？人这一辈子也不会遇到一具死尸出现在郊区的某个浴室里，这怎么可能呢。无论如何，情况就是发生了，尸体还戴着一副夹鼻眼镜，没准一只手的手指还在数数。天哪！我的这两个爱好会在同一时间发生冲突，真是倒霉透了。"

于是，他穿过走廊进入卧室，迅速换上衣服。他找了一副与袜子相配的深绿色鞋带，一直紧闭着嘴唇，并且非常利索地认真系好了鞋带。他脱下脚上的黑色皮鞋，换上棕色皮鞋，并在胸前的口袋内放进一只单眼放大镜，顺手抄起一根马六甲白藤手杖。看得出来，手杖很精致，把手上面镀着很厚的银。

"我看差不多了。"他自言自语道，"等等，我得带上那东西，没准能派上用场呢。这个秘密可无人知晓。"他为自己的装备又加上一只扁平的银制火柴盒。接着，他看了一眼手表，此时正是三点差一刻，于是他便精神抖擞地跑下楼梯，叫了一辆出租车，并迅速钻进车里向巴特西家园驶去。

艾尔弗雷德·西普斯先生是一个身材矮小的人，他看上去神情非常紧张。他长着一头浅黄的头发，显然，他准备放弃与命运的不公平抗争。也许有人会说，他长相最大的特征就是左边眉毛的地方有一道很大的疤痕，那个疤痕似乎隐隐约约地在昭示着某种不安的感觉，看上去与身体的其他部位很不协调。就在听到彼得勋爵第一声问候的同时，他情不自禁地为此感到点遗憾，嘴里自言自语地念叨着什么，仿佛是说他在黑暗中撞到了餐厅的门。彼得勋爵能大驾光临向他表示慰问，让他感动得几乎要流下泪来。

"我敢说您是最热心肠的爵爷大人了。"他一遍又一遍地反复重复着这句话，同时不停地眨着一双薄而小的眼皮。"我非常感激您，非常非常感激您，真的。我母亲和我怀有同样的感激之情，只不过她耳朵聋，我看就不必劳神打扰她了，她还不明白是怎么回事。这一天简直太难熬了。"他接着说，"房间里到处是警察，乱极了。这是我母亲和我从来所没有经历过的。我们本来过着与世无争的宁静生活，上帝，我快要晕过去了，幸亏我母亲还不知道出了什么事，要是她知道了可真让人担心死了。刚开始她有些不安，但是，现在她倒自己给自己进行了解释，我想这最好不过了。"

一位上了年纪的老夫人坐在火炉边，手里不停地织着毛线活，她的儿子看了看她，作为回应，她也面无表情冷冷地点了点头。

"我早就说过你应该埋怨的是那间浴室，艾尔弗雷德，"她突然说，嗓音很高，是耳朵有些背的人所特有的尖细的声音，"这么多人进进出出，现在，房东也看不到了。但我认为你完全可以清理一下，别让警察到里边去，可现在你看怎么样！你就是那种遇到一点鸡毛蒜皮的小事就大惊小怪的人。"

"现在，"西普斯先生不无歉意地说，"你都看到了不是，不过她还算镇定，她还能理解我们锁上浴室、不让人随便到里面去。尽管如此，我自己却受到了极大的打击，先生——爵爷大人，我要说，是这样的，我的神经都快破裂成碎片了。这种事情从来就不曾发生过——自打我出生以来就没有发生过，我不知道我是否应该对此负责，真的不知道。我的心脏快支撑不住了，我简直不知道自己是怎样逃出那间令人感到可怕的浴室去给警察打电话的。我吓坏了，爵爷大人，我真的是吓坏了。我没有吃一点早饭，也没吃午饭。整个上午只顾打电话搪塞客人和见各种人，我简直不知道自己在做什么。"

"这种苦恼的确不同寻常。"彼得勋爵同情地说，"尤其是发生在早饭之前。我非常痛恨一切发生在早饭以前的烦恼事情。那会让人陷入混乱之中，不是吗？"

"的确如此，的确如此。"西普斯先生急切地说，"我看见那具吓人的尸体躺在浴缸里，赤裸裸的，还戴着一副眼镜。我能向您发誓，爵爷大人，简直是太倒胃口了，请原谅我的用词不当。我并不强壮，爵爷大人，我偶尔早上的时候也会有这样沮丧的心情，为周全起见，我不得不让女用人取来一瓶烈性白兰地，谁知道可能会出点儿什么事呢。简直让人恶心得要吐，尽管平常我根本就不喜欢烈性酒，不过，我还是定下规矩，家里要准备些白兰地，万一遇到紧急情况，您说呢。"

"您非常明智，"彼得勋爵兴奋地说，"西普斯先生，您是一个很有远见的人。棒极了，需要的时候小饮一口，这酒你喝得越少，说明您心情越好。您的女用人是个懂事的年轻姑娘，对吗？可怕的事总会引起女人们尖叫或是晕厥，不论在什么地方。"

"是啊，格拉迪斯是个好姑娘。"西普斯先生说，"确实非常懂事。她受到了惊吓，当然，这是完全可以理解的。我自己也吓坏了。这样的氛围肯定不适合一个年轻姑娘，不吓坏才怪呢。不过她真是一个好帮手，危难中也照样充满着活力。这些日子有这样一位大方而善解人意的姑娘陪伴在这里，我和母亲都感到幸运之极，尽管她有一点粗心，总是忘记做一些小事情，不过这很自然。她确实为自己没有关好浴室的窗户而感到极为自责，起初我也非常生气。看看这里发生的一切，说什么也没有用，正如您所说的，这可不是一桩普通的事件。女孩子都容易健忘，这您是知道的，爵爷大人。她的确非常苦恼，我也不忍心过于责备她。我对她说：'记住，下次你要是再让窗户整宿都敞着，贼就可能会入室行窃的。'我还说：'这次是一个死男人，已经够令人感到丧气的了，要是下次再闯进几个贼来，我们就都会死在床上了。'但是警察局的探长萨格——他们都这么叫他，站在院子里，对她说话却毫不客气，可怜的姑娘！她吓坏了，她认为萨格在怀疑她，她本来是个多么好的姑娘呀，真是可怜。我想象不到是她干的，所以我把我的想法告诉了探长。他的态度非常粗鲁，爵爷大人——我一点也不欣赏他的工作作风。'假如您有证据指控格拉迪斯或者我本人的话，'我对他说，'就请拿出证据来让大家看看，你必须这么做。'我说，'我已经受够了你对一位绅士的粗鲁态度，尽管还在这位绅士的家里。'的确是这样。"西普斯先生面红耳赤地说，"他就是惹恼了我，真是把我惹火了，爵爷大人，一般来说我是很有耐心的。"

"您说的萨格，他一贯如此，"彼得勋爵说，"我了解他。他不清楚的事情也喜欢胡乱瞎说，而且态度很粗暴。显而易见，您和女用人都没有检查过尸体。谁会为一具尸体负责？问题往往是怎样把它弄走。顺便问一句，他们把尸体搬走了吗？"

"还在浴室里。"西普斯说，"萨格探长说在他们把尸体搬走之前，谁也不能动。我一直盼着他们赶快弄走。如果爵爷大人您感兴趣的话，不妨进去看一看。"

"太感谢了，"彼得勋爵说，"我的确想看看，只是担心给你们添麻烦。"

"一点也不麻烦。"西普斯先生说。他引领着彼得勋爵从一个走廊穿过，而他所表现的举止也让彼得勋爵认识到他的两个企图：首先，尽管他向客人展示的情形令人感到非常恶心，但他仍然乐于因此而引起别人对他本人及其住所的关注；其次，萨格探长禁止他向外人展示现场。勋爵后来的猜测也一一为西普斯先生的行为所证实——他停住脚步到卧室去取浴室的门钥匙，而且说他经常会为每个房间的门都保存两把钥匙，以防万一。

浴室没有什么特别之处，长而窄。一扇窗户恰好就在浴室的顶部，窗户上的玻璃布满了霜痕，窗框宽度足以容下一个男人的身体。彼得勋爵快步穿过浴室走到窗前，推开窗户向外张望。

这间公寓是在整栋楼底层的一间，位于整个街区的中部。透过窗户可以看到公寓楼的后院，都是些五花八门的低矮附属建筑，还有煤库、车库等等。再往前就是一排房子的后花园。楼的右侧矗立着一幢高大的建筑物，正是巴特西地区的圣·卢克医院。穿过一条盖有顶棚的走廊与医院的广场相连的是著名的外科医生朱利安·弗雷克爵士的私人住宅。他是这所新医院尽头外科手术病房的负责人，不仅如此，他还是哈里大街上享誉盛名的神经科大夫，在那方面，他总是有自己高人一筹的独特见解。

西普斯先生将这些信息不厌其烦地灌输到彼得勋爵的耳朵里。他似乎认为与他为邻的每一个人都非常不简单，他们荣誉的光环使整个卡罗琳皇后公寓都亮丽起来。

"今天上午他到我们这里来了一趟，"他说，"专门为了这件可怕的事情。萨格探长曾认为是医院某个年轻的医务人员把尸体带到了这里，想开个玩笑而已。要知道，医院的解剖室可不乏死尸。所以，萨格探长今天上午去拜访朱利安爵士，想了解他们是否丢失了尸体。朱利安爵士可是个大好人，虽然探长去的时候他正在解剖室里工作，他还是放下手中的工作，翻看了一遍有关尸体记录的记录本，然后还亲自到这里来看了看。"他指着浴室最后说，"他也无能为力，医院没有丢失尸体，而且这具尸体也与他们记录本上的记录不符。"

"但愿也与所有正在治疗的病人的记录不符。"彼得勋爵随意提到。

听到这种可怕的推测，西普斯先生的脸一下子变得煞白。

"我可没有听见萨格探长提过这样的话，"他说道，神情显得有点焦虑不安，"要是这样，那该多么的可怕呀！上帝保佑，爵爷大人，我可从来没这么想过。"

"别紧张，要是他们真的丢了病人，现在也该发现了。"彼得勋爵说，"我们还是先看看这具尸体吧。"

他把带来的单眼放大镜贴近眼睛，补充道："我觉得吹进浴室来的烟灰会让您感到不舒服的，该死的讨厌的东西，不是吗？我那里也有，把书都毁了。当然，如果您不介意的话，也就无所谓舒不舒服了。"

西普斯先生犹豫了。他从西普斯先生的手中接过遮挡浴室的浴帘刷地一把往后拉开。

躺在浴室里的尸体是个略显苍老的男人，个子较高，看上去五十岁上下。头发刚剃过不久，并且还是由技艺超群的理发师修理成分头。他的头发又密又黑，自然卷曲着，还微微散发出紫罗兰香水的气味，在密不透风的浴室能让人轻易就闻出来。死者看上去外表结实粗壮，体态肥胖，长着一双向外突出的黑色眼睛，长鼻子一直延伸到宽阔的下颌，刮得干干净净的嘴唇丰满而性感。下巴的低垂使得沾满烟渍的牙齿暴露出来。一副漂亮的夹鼻眼镜架在死者脸上显出一种让人感到莫名其妙的优雅神态。脖子上挂着一串上好的金项链，垂在胸前，两条腿笔直叉开，手臂紧贴住身体，手指自然弯曲。彼得勋爵抬起死者一只胳膊，皱着眉仔细地端详着死者的手。

"这位不速之客是个上流人物，你瞧，"他嘟囔着，"用的是帕尔马紫罗兰，指甲修得非常整齐。"他再次弯下腰，把手探到死者头部下边，不料死者鼻梁上的眼镜滑落了下来，"咔哒"一声落到地上。响声立即触及到西普斯先生敏感的神经。

"您稍微轻一点。"他小声说，"我觉得快要晕过去了，真的。"

他退了出去。彼得勋爵抓住这个时机，迅速而小心地搬动了尸体，把尸体翻过来，开始检查头部的一侧，并且仔细地利用那只单眼放大镜，其认真的程度决不亚于已故的约瑟夫·张伯伦在鉴定一株希有兰花时的那种态度。他把死者的头枕在自己的胳膊上，从口袋里拿出银制火柴盒，塞进死者张开的嘴里，自己也情不自禁发出"啧啧"感叹的声音。接着，他放下尸体，捡起那副神秘的夹鼻眼镜，重新戴回到死者的鼻梁上，仔细审视了一番，嘴里不时"啧啧"地感叹。为了不使尸体表面留下被人移动的痕迹，他又重新调整了一下眼镜的位置，否则萨格探长知道了会发怒的。他安顿好尸体，又走回到窗前，探身出去，用手杖探测着窗户上方和边缘部位，手杖看上去似乎多少和他有点不相称。他没有发现什么可疑之处，于是便又缩回身子，关上窗户，回到走廊里。

西普斯先生被公爵这个小儿子的同情心所感动了，返回客厅后，他冒昧地递上了一杯茶。彼得勋爵缓步来到窗前，夸赞起巴特西家园的美妙景色。正当他准备接过茶时，一辆救护车从威尔士亲王大道的一端驶入眼帘。彼得勋爵一下子警醒过来。"哎呀！"他急切地叫起来，决定马上离开。

"我母亲对你们表示问候。"他说着热情地与西普斯先生握握手。"希望您不久能再去丹佛。再见，西普斯夫人。"他扯着嗓子对老夫人喊了一声。"啊，不，亲爱的，太麻烦你了。"

就在他刚走出门转身去车站的一刹那间，救护车在另一个方向停了下来，只见萨格探长和两名警官走下车。探长对大厦的值班人员说了几句话，接着便转过脸用疑惑的目光注视着彼得勋爵消失的背影。

"萨格这老家伙，"勋爵不无爱怜地自言自语道，"老手，的确，他该恨我了。"

第 二 章

"好极了，邦特。"彼得勋爵说。他一屁股坐进一张豪华的椅子里，长出了口气。"要我自己去都干不了这么好。我对但丁的思想早就垂慕已久——还有《艾蒙的四个儿子》这本书。你为我省了六十英镑，太了不起了。按说我们应该支付多少，邦特？想一想，按照哈罗德·斯金玻尔的公平观点，节约六十英镑就是挣了六十英镑。我要算一算怎样把它们都花出去。邦特，是你节省下来的，准确地说，这是你的六十英镑。我们还缺点什么？你的公寓里还需要什么？你不想更换自己房间里的设施吗？"

"啊，爵爷大人，太好了。"仆人停顿了一下，他正要将一瓶陈封的白兰地酒倒进一只小巧的杯子里。

"好了，邦特，说出来吧，你还真沉得住气，假装的吧。你的意思是晚饭好像要开始了，吃饭谈这件事可不好——你看，白兰地酒溢出来了。你说话是雅各布的口气，两只手却是伊索的。现在说说你的暗房，有什么需要的吗？"

"一副带有一组辅助镜头的双倍散光透镜，爵爷大人，"邦特说，语气中几乎带出一股宗教似的虔诚。"现在我所用的如果不是假的就一定是次品，得通过底片将其放大，要不然就得用广角镜头，这就如同在照相机的镜头后面安装上几组目镜。爵爷大人，看——我要的全在这里了。"

他从口袋里掏出一个单子，在主人的注视下，颤颤悠悠地递了上来。

彼得勋爵细细地读了一遍，他咧着长长的嘴角露出浅浅的微笑。

"我对这一行可是一窍不通，"他说，"用五十英镑买几个玻璃片，简直太荒谬了。我推断，邦特，你准是说花七百五十英镑买一本又脏又旧的、用过时的语言写就的书太不值了，是不是？"

"爵爷大人，这可不是我这种身份的人说的话。"

"没关系，邦特，我一年付你二百英镑，换取你保留自己思想的权利。你说，邦特，在如今这个流行民主的时代，难道这样做不是很公平吗？"

"不，爵爷大人。"

"你认为不。你能坦率地告诉我为什么吗？"

"坦率地讲，爵爷，您享受作为一个贵族的收入水平，都花在了请沃星顿小姐吃晚饭上，却放弃了运用爵爷您手中毋庸置疑的权威。"

彼得勋爵表示认可。

"这是你的想法，对吗，邦特？你是说贵族阶层应有的品德——也是为一般社会所接受的。我猜你肯定是对的。这么说你比我更富有，因为即使我不名一文，我也要在沃星顿小姐面前表现得举止得体。邦特，如果此时此地就解雇你，你会对我有什么想法呢？"

"没有，爵爷大人。"

"你有权利说出来，邦特。如果我在享用你煮的咖啡的时候解雇你，你说我什么都没关系。你是一个煮咖啡的好手，邦特，我不知道你怎么做的，我认为这里面一定有什么诀窍，我会没工夫没完没了地煮下去。好，你可以去买你那副斗鸡眼的透镜了。"

"谢谢，爵爷大人。"

"你的晚餐做好了吗？"

"还差点，主人。"

"做完以后，过来一趟，我有许多事情要告诉你。你听，谁来了？"

门铃此时发出刺耳的鸣响。

"除非我对来人感兴趣，否则就说我不在家。"

"没问题，爵爷大人。"

彼得勋爵的藏书室是伦敦最舒适惬意的单身书房中的一个，格调是黑色和淡黄色相间。墙面上均用厚厚的书籍装饰成一排一排的，椅子和宽大的沙发让人联想到被人拥抱着的天国美女。屋角矗立着一架小型钢琴，木柴燃起的火焰在一个老式壁炉内不停地跳跃着，壁炉上放着一只塞夫勒式的花瓶，里面插满了红彤彤的金菊花。一位年轻人被招呼着走进了书房，他从阴冷的十一月雾气中走来，此时映入他眼帘的这一切陈设，简直是太希奇和难以想象了，但又是那么亲切、自然，就像一幅中世纪的油画，画面上是色彩绚丽的镀金的天堂。

"是帕克先生，爵爷大人。"

彼得勋爵跳了起来，看得出来他的热情是发自内心的。

"亲爱的，见到你真高兴。一个浓雾弥漫的夜晚。邦特，拿上等的咖啡和雪茄来，再加一只酒杯。帕克，我看你脑子里装满了案子，纵火或者谋杀是我们今晚的主角。'在这样一个夜晚，如此这般。'邦特和我正要坐下来痛饮一番。我买到了但丁的书，是卡克斯顿的对开版本，几乎是唯一的版本，是在拉尔夫·布罗科勒布里先生的特价市场买的。邦特，就是他砍的价，他很快要拥有一组透镜了，他准备用它们完成某种精彩的事情：

> 我们在浴室里找到了尸体，
>
> 我们在浴室里找到了尸体——
>
> 挡住所有的诱惑
>
> 这种感觉，毫不费力，
>
> 我们坚信有具尸体，在浴室里。

这就是我们要做的，帕克。目前了解这个案子的还就只有我一个人，但是我们马上就来分享吧，这是我们的共同财富。干吗还不加入到我们中来？你一定在玩什么花样。也许你发现了一具尸体。啊！尸体，一切尸体都是受欢迎的。

> 尸体遇到尸体，
>
> 在法官面前接受审讯。
>
> 一具尸体高兴起来，
>
> 他知道谁杀了人，
>
> 他知道老萨格实施了错误的手段，
>
> 要尸体发言吗？

完全不必。他只是在信涵的末尾处闪烁其词，给出暗示，真相是要在寄语中读出来的。"

"啊，"帕克说，"我知道你去了卡罗琳皇后公寓。我也去了，而且还遇见了萨格，他对我说他见到了你。他看样子很不高兴，他把你所做的一切叫做多管闲事。"

"我知道他会的，"彼得勋爵说，"我喜欢激怒老萨格，他总是那样粗暴无礼，他拘捕了那个叫做格拉迪斯的姑娘，以此来标榜自己。萨格在庆功会上出尽风头。对了，你去那里做什么呢？"

"告诉你实情吧。"帕克说，"我去的目的就是想看一看那位长着犹太人面孔的尸体有没有可能是鲁本·利维爵士，结果发现不是他。"

"鲁本·利维爵士，等一下，我好像在哪里看到过，想起来了，报纸上有一个标题写道'一位著名金融家神秘消失'。到底是怎么回事，我当时没有细读下去。"

"说来有点蹊跷。虽然我猜没什么大不了的，但这老家伙显然有其明确的目的，当然那也只有他自己才知道。事情发生在今天早上，当时没有人想到会出事，按计划他碰巧准备去出席一个重要的财经会议，商讨一笔数百万英镑的生意——具体细节我不太清楚。但我知道他有几个对手也钟情于这桩买卖，但都未能谋得这桩买卖。所以，当我得知浴室里发现一具尸体的消息后，便迫不及待地赶到现场。死者看上去似乎并不像他，但干我们这行的不太可能的事情也时有发生。有趣的是，老萨格却一口咬定就是他，并且还草率地给利维夫人发了一封电报，要她来辨认尸体。而实际情况是，躺在浴缸里的这个人还不如阿道夫·贝克长得更像鲁本·利维爵士，可怜的家伙，还不如说他是约翰·史密斯。

不过，要是死者长着一脸络腮胡子的话，还真像是鲁本先生。更令人感到不可思议的是，利维夫人带着家庭成员来辨认，竟然也有人说死者就是鲁本·利维爵士。据此，萨格会讲出一系列有趣的说法，就像巴贝塔被认定为暴死一样。"

"萨格这个人很有意思，老顽固。"彼得勋爵说，"他就像侦探小说里的人物。虽然我对利维本人一无所知，但我看过尸体，我敢说萨格的想法与事实根本不符。你认为这白兰地酒怎么样？"

"这事太令人难以置信了，温姆西，这种事真是满唬人的，我想听你讲讲。"

"您介意邦特在这里吗？其实无关紧要，他正着迷于一架照相机。奇怪的是，每次我想洗澡或穿靴子的时候，他早就准备妥当了。我不知道他是什么时候干的，难道是在睡觉的时候吗，邦特？"

"是，爵爷大人。"

"别在那里鼓捣你的破玩意儿了，来加入我们的聚会，大家一起喝点。"

"没问题，爵爷大人。"

"帕克先生找到了新的线索：金融家失踪了。这决不是说着玩儿的。没辙，变了！说变就变。他到底在哪里呢？一定会有一些绅士喜欢在众目睽睽之下爬上平台去检查壁橱？谢谢你，先生。行动过速蒙蔽了他的眼睛。"

"我了解的情况并不完全，"帕克说，"没有得到太多线索支持。鲁本·利维先生昨天晚上与三个朋友一起在里茨吃的饭，饭后三个朋友去了剧院，他因为还有一个约会，所以没有与他们一起去。我还没弄清楚是什么样的约会，但不管怎样，他回到了自己的住所——家园小巷九 A，当时是晚上十二点。"

"谁看到他了？"

"厨师，当时他正要上床睡觉，看到鲁本·利维先生站在门口的台阶上，而且听见他进了屋子，之后还上了楼，把大衣挂在客厅的挂钩上，雨伞插在架子上——还记得昨晚下雨了吧。脱完衣服后他就上床睡觉了。第二天早上他却不见了，就这些情况。"帕克突然停住，无奈地摇摇头。

"不止于此，不止于此。老兄，接着说，故事还没讲到一半呢。"彼得勋爵恳求道。

"可是也只有这些了。他的仆人进去叫他时，他的确不见了。床上是已经有人睡过的样子。他的睡衣和脱下的衣服都在那里，唯一奇怪的是那些衣物杂乱地堆放在床脚的长椅上，而不是叠整齐了放在椅子上面，后面这种情况是鲁本先生的习惯，看来那天晚上他似乎感到非常不安或者是身体不太舒服。没有发现干净的衣服被拿走，西服、皮鞋也都在，没有发现任何东西丢失。他穿过的皮鞋像往常一样放在更衣室里。他显然洗漱过，还刷了牙，像往常一样做了该做的一切。女用人早上六点半起来打扫客厅，她保证说在此之后没有人来过，也没有人出去过。所以，有人推测说这位受人尊敬的中年犹太富翁要么发疯了，在午夜十二点到凌晨六点之间一丝不挂地悄悄出了门，这可是十一月的夜晚呀，要么就像圣徒故事集里的那位女士一样被神秘地带走，只留下一堆皱皱巴巴的衣物。"

"前门锁好了吗？"

"这的确应该是你最先问到的问题。在这个问题上，我考虑了一个小时，结论是没有锁门。与以往的做法相反，门上只有一把耶鲁弹簧锁。而另一方面，当晚几个女用人获得批准去了剧院，鲁本先生很可能是为他们留了门，这样的事情以前曾发生过。"

"的确就这些吗？"

"的确就这些。当然，还有一点微不足道的情况。"

"我就喜欢微不足道的小细节，"彼得勋爵说着像孩子一般兴奋起来，"很多人就是因为一些不起眼的细节才露出马脚的。说说看。"

"鲁本爵士和利维夫人是一对感情笃深的夫妇，他们总是睡在同一个房间里。我此前就说过，因为身体的原因，利维夫人这段时间住在蒙顿。虽然她不在家，鲁本先生也和过去一样睡在双人床上，而且一直就睡在原来他自己的这一边，也就是床铺靠外边的那一边。那天晚上，他用了两个枕头，而且睡在了床中间，如果说有什么不同的话，那就是靠墙非常近。女用人是一个非常聪明的姑娘，她在收拾床铺的时候注意到了这些变化，由于本能的警觉，她没有动过床铺，也没有让别人碰。不久她们便都被送进了警察局。"

"除了鲁本先生和他的用人之外，再也没有别的什么人了吗？"

"没有。利维夫人带着女儿和她自己的用人此前就离开了。剩下的几位有：一名贴身男仆、一个厨子、一个客厅女侍从、一名普通女用人和一名厨房女用人。对已经发生的情况进行胡乱猜测自然耽误了一两个小时，我赶到那里大概是十点钟。"

"后来你又干了哪些事情？"

　　"要找到鲁本先生当晚约会的线索,那名厨子是重点对象,毕竟,他是在鲁本先生失踪之前最后见到他的人。可能会有一些相当简单的说明,可是此时我却一点也想不起来。见鬼,也可能根本就没有人进过房间、上床,也没有人半夜离开过。"

　　"这一切也可能是他精心安排好伪造的。"

　　"事实上,我也这样想过,这或许是唯一可能存在的解释了。但说起来也真他妈奇怪,温姆西,本市的一个重要人物,在达成一项重大交易的当晚,没有对任何人留下只言片语,忽然间消失得无影无踪。没穿衣服,没带手表、钱包、支票簿,其中最不可思议的,也是最为重要的,就是他的眼镜,没有眼镜,他连一步之遥的东西都看不见,可见他近视得厉害。他——"

　　"这一点很重要,"温姆西打断了他的话,"你能保证他没带备用眼镜吗?"

　　"他的贴身仆人证实说他有两副眼镜,一副现在就放在梳妆台上,另一副则放在了抽屉里。"

　　彼得勋爵听到此话情不自禁吹了声口哨。

　　"这可真让人感到费解,帕克。即使他准备出去自杀也该戴眼镜才对。"

　　"你说得对。如果没戴眼镜,他在头一次穿过马路的时候就会发生自杀事件。可是,我并没有发现这种可能性的存在。我特意调查了今天所有的道路交通事故,可以证明这里根本没有鲁本先生,还有,他带了家里的钥匙,这似乎表明他还打算回来。"

　　"你见过和他一起吃饭的人吗?"

"我在俱乐部里找到了其中的两位。他们说他的身体和精神状态都非常好，而且他还正期待着不久到利维夫人那里去，也许圣诞节就会去吧。他在谈吐中还流露出他对当天上午的这桩生意感到非常满意，其中一位先生与这桩生意有关联，此人叫安德森·维德汉姆。"

"也就是说，直到晚上九点钟，他都没有明显地表现出会失踪的迹象。"

"没有——除非他是一位了不起的演员。导致他改变主意的要么肯定发生在那个神秘的约会上——吃完晚饭他就去赴约了，要么是午夜至凌晨五点三十分在他自家的床上。"

"喂，邦特，"彼得勋爵说，"你有什么想法？"

"没有什么感到奇怪的，一位绅士即使很生气或者身体不适而没有像往常一样叠好衣服，也会记得刷牙和把皮鞋放到外面。这是非常不容易忽略的两件事，爵爷大人。"

"你的想法有点太个性化了，邦特。"彼得勋爵说，"我只能说你的发言没任何参考价值。还有一点小问题，帕克，我打算明天去他的卧室看一看，当然我不愿意贸然闯进去。并非是我不相信你所说的话，亲爱的，我很少有这样冲动的想法。千万别说不行——来、来，再来点白兰地。"

"你当然可以去看一看，没问题。没准儿你还能发现一些我忽略了的情况呢。"帕克大度地说，一边享受着主人的盛情款待。

"帕克，你在伦敦警察厅备受尊重。看得出来，萨格这个人言论过于荒诞，就像是神话故事里一样，愚昧不堪。他的很多想法就像是诗人在月夜里的幻想一般。他想象得过于完美，却与事实本身完全不符。顺便问一句，他打算怎样处理那具尸体？"

"萨格说，"帕克细致地描述道，"死亡是由于死者颈项后面遭到猛烈打击——这是医生告诉他的。他还说死亡时间是在一两天之前——这也是医生告诉他的。他说死者是个犹太人，大约五十岁上下——这一点所有人都可以告诉他。他说，有人认为尸体是在无人知晓的情况下从窗户里被弄进来的是一种非常荒唐的推测，他认为极有可能死者原先是从前门进入的房子，却在房子里被人谋杀了。他逮捕了那个女用人，原因是她十分矮小、瘦弱，面对高大、强壮的犹太人可以用火钳袭击。他还打算逮捕西普斯，西普斯昨天和前天一直在曼彻斯特，直到昨晚很晚才回家——事实上，我提醒他如果死者死于一两天以前，西普斯就不可能在昨晚十点三十分杀死他。但他依旧认为西普斯是一名从犯，还是打算明天逮捕他，涉嫌的甚至包括那位一直在织毛线活的老夫人，当然，我对此并不感到惊奇。"

"啊，很高兴这位小个子男人有很多证据可以证明他不在现场，"彼得勋爵说，"即使你坚信死者身上的铁青色伤痕、僵硬程度以及其他所有的物证都证明死者系遭硬物重击致死，你也一定要准备好对付那些能说会道的辩护律师随意捏造出医学证据。还记得伊姆沛·毕格斯在切尔西茶馆一案中的辩护吗？对于格莱斯特和迪克逊·迈恩那桩非同寻常的案子，六个初出茅庐的实习医生在证人席上的证言根本就是自相矛盾，可是老伊姆沛在法庭上慷慨陈词，直到陪审团最后被彻底说服！'你作好准备发誓保证了吗？西卡姆泰特博士，要保证根据尸体的僵硬程度所分析得出的死亡时间是百分之百完全正确的。''据我的经验来看，多半案子都是这

样做的。'博士无力地辩解道。'啊哈，' 毕格斯说，
'这可是刑事法庭，博士，不是议会选举。离开少数派我们
无法继续，西卡姆泰特博士，法律尊重少数人的权利，不管
他是死的还是活着。'有人大笑起来，老毕格斯袒露胸膛
发出感人至深的肺腑之言，'先生们，没有什么可笑的，
我的当事人——一位诚实而受人尊敬的绅士，为了生存而
努力，为了生存，先生们。原告指控他有罪完全是出于商
业目的，如果他们证据确凿也就罢了。现在，西卡姆泰特
博士，我再问你一遍，你敢理直气壮地发誓吗？你或许会
有些犹豫吧，这位不幸的女人为什么恰好就死在星期四夜
间呢？啊，一个大致的推断？先生们，我们不是耶稣教会
的，我们都是正直的英国人。你不能指望英国本土的陪审
团根据一个大致的推测就判处他人有罪。'他的话音刚
落，法庭里响起一片掌声。"

"但毕格斯的当事人确实有罪。"帕克说。

"他当然有罪。但他被宣告无罪了，正如你刚才所说
的那样，他有不在现场的证据。"彼得勋爵走到书架旁，
找出一本药物法学方面的书。"'尸僵——只能用一般的
方法加以描述——有许多因素可以影响其结果。'注意，
'一般来讲，颈项和上下颚在死后五至六小时开始僵硬，
大多数尸僵的过程会在三十六小时后停止。当然，在某些特
定环境下，尸僵停止的时间有时会提前或滞后。'这个信息
有帮助吗，帕克？'尸体往往在死后三分半钟就开始变成褐
色……特定的情况下会推迟到十六小时之后……更有甚者会
出现在二十一天之后……'天啊！'影响因素——年龄——
肌肉状况——或者是引起发烧的疾病——或者周围的温度

很高'——等等，等等，只要满足其中一种条件。别介意，你和萨格讨论这些观点，他未必会很了解。"他把书扔到一边，"说说现在，你对这具尸体有什么看法？"

"啊，"帕克侦探说，"没什么看法。老实说，我感到很疑惑。应该承认他很富有，而且是靠自我奋斗而成就事业的。他最近肯定交上了好运。"

"你注意到他手上的老茧了吗——这一细节我想你是不会忽略的。"

"还有他两只脚上的水疱——他穿的鞋太紧了一点。"

"只有走了很远的路的人，"彼得勋爵说，"才会磨出这样的水疱。难道你不觉得这种现象很奇怪吗——对一个众所周知的富翁来说。"

"不知道。这些水疱大概起了有两三天，很可能某天晚上既没赶上火车也没赶上出租车，他不得不从郊外走回家。"

"有这种可能。"

"此人的后背和一条腿上都有一些小小的红色斑点，说不清是什么。"

"我已经注意到了。"

"你怎么认为？"

"过一会儿我会告诉你的，你先继续说吧。"

"他的眼睛好像远视得厉害，奇怪，他还只是处于人生的壮年期，可是那副眼镜完全像是老年人用的。顺便提一句，眼镜架上还系着一根华美高贵的链子，链子连接的地方刻有一幅图案。我觉得从这个细节也许能发现某些线索。"

"对，为此我在《时代》上专门刊登了一则告示。"彼得勋爵说，"继续往下说。"

"他戴着这副眼镜可有日子了，因为眼镜看得出来曾被进行过两次修补。"

"棒极了，帕克，你认识到眼镜的重要性了吗？"

"没什么特别的感觉，我是说——为什么？"

"没什么——请继续吧。"

"他或许是一个抑郁寡欢而脾气暴躁的人，似乎有咬指甲和手指的习惯，以至手指的指甲都要嵌到肉里去了。他的烟瘾很大，却从不用烟嘴儿，他是一个很注意自己外表形象的人。"

"你没有检查一下房间吗？我可没有找到这样的机会。"

"我不曾发现走进房屋的脚印。萨格和他的同事也都里里外外搜查了一遍，更不用说对小个子西普斯和他的女用人了。但我注意到浴缸前端的背面有一个明显的斑痕，像是曾经有什么潮湿的东西钉在那里过。不过你很难认为那可以算作一条线索。"

"当然，当晚整夜都在下大雨。"

"是啊。不知你注意到没有，堆满煤烟灰尘的窗户台上留着一些模糊的印迹。"

"我早就注意到了。" 温姆西说，"不过我很难用那玩意儿进行细致的检测。可是我对这些痕迹并非十分在意，除非在窗台上还发现其他什么东西。"他掏出单眼放大镜并递给了帕克。

"好家伙，放大倍数不小呀！"

"对，" 温姆西说，"如果你想对某件东西认真考察的话，这东西是非常有用的。看上去这东西的确有点蠢，当然不能长期戴在眼睛上，否则人们会说，'瞧这家伙，视力一定糟透了。'不过，话又说回来，它的确很实用。"

"萨格和我一起在大楼的后面搜查了一遍，"帕克接着说，"不过没有发现任何可疑之处。"

"这太奇怪了。你们检查过屋顶了吗？"

"没有。"

"我们明天再过去一趟。我记得右侧的窗沿仅两英尺宽，我还用手杖量了一下。手杖可是一位具有绅士派头的侦探所必备的随身物品，我的手杖杖身标有英寸刻度，里面藏着一把剑，手柄上还有一只罗盘，都称得上是别出心裁吧，不过，也并非随时带在身边。你们还发现其他的什么了吗？"

"恐怕没了。我们倒想听听你的见解，温姆西。"

"啊，我认为现场的大部分情况你们已经勘察过了，只有一两处有点矛盾的地方值得思考。譬如，这个男人戴着金边夹鼻眼镜，眼镜戴过很长时间并且还进行过两次修补。可是他的牙齿却是罕见的肮脏，满口烂牙，看上去就像是一辈子都从来没刷过牙似的。他的一侧槽牙掉了四颗，另一侧掉了三颗，而且前面的一颗牙完全裂开。从他的手和头发来看，他应该是个很注重自己形象仪表的人，可这些情况你又如何解释呢？"

"这种靠自我奋斗而发财的人大都出身卑微，不必过分关注他的牙齿，留着去为难牙医好了。"

"没错。不过有一颗槽牙边缘破损得非常严重，舌头被磨得很严重，肯定非常疼。你不会告诉我有人甘愿忍受疼痛而故意把牙齿挫成这样吧？"

"不过，你不得不承认有时候人往往是不可思议的。我就知道有些用人宁愿强忍痛苦也不踏进牙医的门槛。温姆西，你是怎么发现这些的呢？"

"我查看了他的口腔，用手电筒。"彼得勋爵说，"是一个袖珍小玩意儿看上去就像一只火柴盒。纯属本人猜测，只不过想引起你的注意。其次，还有一个疑问就是，一位头发上散发着帕尔马紫罗兰香水味的绅士，精心修剪过指甲和其他部位，却从不清洗耳朵眼，那里面充满了耳垢，恶心之极。"

"你说得很有道理，温姆西。这些我的确忽略了，的确是旧习难改啊。"

"别急，这还不算什么，还有第三个疑问，一位修过指甲、涂着头油的绅士人物会被跳蚤咬得浑身是伤吗？"

"天哪，对极了，是跳蚤咬的。我可从来没想到过。"

"这一点毫无疑问，老伙计。那些斑点都有些日子了，不很明显，我们不会搞错。"

"当然。不过你所说的也有可能发生在任何人身上。上次在林肯街最好的旅馆里我就把一个那样的大家伙给放生了，他肯定会咬坏某位客人的。"

"所有的一切都可能会发生在任何人身上，你可以这样说。不过还有第四点疑问就是，这位绅士，头发上喷洒着帕尔马紫罗兰香水，洗澡用的是碳酸香皂，香皂味道浓郁，足以持续二十四小时以上。"

"碳酸香皂有驱除跳蚤的功效。"

"我告诉你的这些，帕克，你得进行合理的解释。第五点还有，一位清早起床就精心梳理的绅士，就算是用牙齿咬指甲，手指甲也细心修理过，但他的脚指甲看上去似乎多年都没进行过修剪，又黑又脏，简直令人恶心呕吐。"

"把这叫做习惯也不为过呀。"

"这我知道。不过竟然会有这样的习惯！好，还有第六点，也是最后一点，这位有着绅士习惯的绅士是冒着大雨在午夜时分从天而降的，显然他是穿过窗户进来的，在死去二十四小时之后，依然安静地躺在西普斯先生的浴缸里，让人感到不可思议的是居然还戴着一副夹鼻眼镜。他的头发丝毫没有凌乱的痕迹，而且肯定还是刚剪过不久的，头发的碎屑散落在脖子和浴缸的边上。而且在他脸颊上留下的一道干硬了的香皂沫，表明他刚刚刮过脸。"

"真有你的，温姆西！"

"稍等片刻。他的嘴里也留下了干硬的香皂沫。"

邦特站了起来，突然来到侦探的侧面，可以说这位礼貌有加的男仆服务周到到了极点。

"先生，再加点白兰地吗？"他小声说。

"温姆西，"帕克说，"你的分析令人不寒而栗。"他一口喝干杯子里剩下的白兰地，眼睛盯着空杯子，就好像他惊奇地发现杯子竟然空了似的。他随手将杯子搁在一边，站起身来，径直来到书架旁，然后又转过身，背对着书架说："看这里，温姆西——都是你读的侦探小说，你也说了一大堆废话。"

"怎么会。"彼得勋爵说，似乎稍微有些带着倦意的样子，"对侦探小说而言，这可是难得的好题材，不是吗？邦特，我们要据此写出一部书出，由你来为我们的书绘制插图。"

"他嘴里的肥皂沫——荒唐！"帕克说，"应该是别的什么东西——污渍什么的。"

"不，"彼得勋爵说，"还有几根毛发，应该是胡须，他曾经应该长着大胡子。"

他从口袋里掏出手表，打开表盖，取出夹在里面的几根又长又硬的毛发。

帕克把这几根毛发攥在手指上翻来覆去地摩挲着，凑近灯光，用放大镜一一检查着，最后将毛发递给急不可耐的邦特，说："你是想告诉我，温姆西，"——紧接着他发出一阵让人感到刺耳的笑声——"一个原本活着的男人张着嘴巴刮完脸，之后便被人杀害了，于是他的嘴里沾满了胡须？你疯了。"

"这不是我要告诉你的。" 温姆西说，"你们警察都习惯在大脑里只保留着一种想法，但我得出的结论与你所想的恰恰相反。他是在死后才刮的脸。很美观，不是吗？对理发师来说这可不是什么难事。怎么样？坐下，我说，你是一个聪明人，并非蠢驴，只知道闷在屋里团团转。就算最糟的事情都已经在战争期间发生过了，而这只不过是一件一闪而过而又老掉牙了的廉价骇人故事。但是，我要告诉你的，帕克，我们面对的是一个罪犯，这家伙是一个真正的艺术家，具有极其丰富想像力的讨厌鬼。这是一宗真正完美的艺术素材，我很喜欢，帕克。"

第 三 章

　　彼得勋爵弹完一首斯卡拉蒂奏鸣曲之后，便静下来仔细观察起自己的两只手来。他的手指修长而且有力，手掌宽大而平整，指尖呈方型。每当弹奏的时候，他那双深灰色的眼睛便会泛着柔和的光芒，相反，他那张厚实而富于变幻的嘴唇却绷得很紧。曾经多少次他这样孤芳自赏着，但每每看到自己狭长的下巴、宽大而后倾的前额在一头乱蓬蓬的头发衬托下越发显得突出，他就感到非常沮丧。劳工报上的画像对他的下巴进行了修饰，勾勒出一个典型的贵族形象。

　　"这个乐器简直棒极了。"帕克说。

　　"的确不坏。"彼得勋爵说，"但演奏斯卡拉蒂的曲子要用一架古钢琴，这架钢琴太现代了——所有的颤音和泛音都已经进行了现代化处理，对我们的工作没丝毫好处。帕克，你找到什么结论了吗？"

　　"浴缸里的那个男人，"帕克有条不紊地说道，"从其外表看不会是一个富裕的人。他是个做工的人，没有职业，不过只是最近才失业的。他四处漂泊，正在寻找一份新工作的时候，却发生了不幸。有人杀害了他，给他洗了澡，身上喷了香水，修了脸，还理了发，对他进行了全身的伪装，然后把他扔到了西普斯的浴室里，却没留下任何痕迹。我的结论是：凶手一定是个身体强悍的人，因为他只在死者后颈部重击一下即致人于死地。此人头脑冷静，智力超群，干下如此残忍之举却不留丝毫痕迹。此人既富有而且文质彬彬，因为他很便利地拥有如此精致而高雅的盥洗设施。此人也有着怪异、甚至是变态的思维，这表现在他将尸体摆放在浴缸里因而与尸体进行了两次可怕的接触以及他还赠送了一副夹鼻眼镜。"

"那是一个举止优雅的罪犯。" 温姆西说，"顺便说一句，对于你曾经围绕夹鼻眼镜的困惑现在已经弄清楚了，很显然，这副眼镜不属于那具尸体。"

"不过这倒引出了一个新问题，你不可能排除凶手故意以这种方式留下让人发现的线索。"

"我们不妨这样想：此人拥有的正是大多数罪犯所缺乏的——幽默感。"

"多么令人感到恐怖的幽默。"

"的确。在那样的一种环境下还不忘记幽默一把，此人一定是个可怕的家伙。不过，让我发生兴趣的是，他在杀害死者之后又是怎样将尸体寄存到西普斯家里去的。这里面有太多的疑点。他是怎样弄到那儿去的？为什么？就像萨格说的那样是从大门带进去的吗？还是穿过窗户扔进去的——正如我们所怀疑的，可是又缺少窗框受到了破坏或挤压的足够证据。凶手会有其他同伙吗？是小个子西普斯呢，还是那个女用人？萨格倾向于这一点，因此这种怀疑也有其站得住脚的可能。当然就是白痴偶尔也会碰巧说出事情的真相。如果不是这样，为什么西普斯会被凶手选中进入到这样可怕的游戏里呢？难道有人嫉恨西普斯？在公寓楼里到底还住着其他哪些人？这一点我们必须弄清楚。是因为西普斯半夜起来弹钢琴而不为他们所接受吗？还是因为西普斯带回家的可疑女子毁坏了整个楼的名声呢？是不是没有成就的建筑师大都充满着肉欲的渴望啊？见鬼去吧，帕克，一定存在某种动机。要知道，没有哪桩案子没有动机。"

"一个疯子——"帕克猜测着，心里充满了疑惑。

"在他疯狂的脑子里装了一大堆办法。他没犯错误——除了在死者嘴里留下几根毛发权且算作一个错误外，没有一处疏漏。好了，不管怎样，死者不是利维，这一点你是对的。我说，老伙计，你我二人都不会留下过多的线索供人考察，何况他呢？似乎再也找不到任何动机了，看来，我们昨天夜里的工作没有任何进展。鲁本先生制造的陷阱没有用无花果树叶，而是一只神秘的个人用夹鼻眼镜。留下这副眼镜必然有他的目的。见鬼，假如我有一些不错的借口正式接管此案——"

此时，电话铃声响了起来，邦特起身接电话，他一直在一旁保持着沉默，而那两位几乎都已经忘记了他的存在。

"是一位老夫人，爵爷大人，"他说，"我想她的耳朵可能有点聋——我说什么她也听不见，不过，她想与您说话。"

彼得勋爵一把抓过听筒，对着话筒说"喂！"听起来那声音仿佛像爆裂的橡胶管。听了几分钟，他的脸上一直挂着奇怪的微笑，并越来越兴奋起来，嘴都咧开着。最后就听到他喊"好的，好的！"便挂断了电话。

"啊哈！"他嚷了起来，话语里充满了喜悦。"一个训练有素的老手！是西普斯老夫人，聋得什么也听不到，以前从来没有用过电话。但是情况确定了，也的确算得上是经典拿破仑。萨格真可谓是一代神探呀，他采取了新的动作，竟然逮捕了小个子西普斯。剩下一个孤老夫人在房子里，西普斯临走时冲她喊道'告诉彼得·温姆西勋爵'。老夫人很勇敢呀。她吃力地翻看着电话号码簿，而且还吵醒了总机的接线员，虽然没听到对方的回答，但总算接通了电话线。她说：'我能做什么呀？'还说只有在一个真正的绅士怀抱里才会感觉到安全。啊，帕克，帕克！我真想亲吻她，我能行，正如西普斯所期望的那样。我要马上给她回信——不，帕克，我们现在就去一趟。邦特，带上你的宝贝相机和闪光灯，这次，我们一起行动——集中大家的智慧。今晚你将会看到我的身手了，帕克，明天我会去搜寻你想要找的犹太人。啊，我太激动了，兴奋得快要爆炸了。老萨格呀，老萨格，你设计得太美妙了！邦特，我的皮鞋。帕克，我猜你是橡胶鞋底吧。什么，不是，啧、啧，你出门一定要穿橡胶底的鞋，我可以借你一双。我的手套呢？——在这里。还有手杖、手电筒、镊子、小刀、药丸——都备齐了吗？"

"都备齐了，爵爷大人。"

"邦特，别看上去一副不耐烦的样子，我是说这没什么害处。我相信你，完全信任你——我带着钱了吗？啊，带了。帕克，我知道有个人曾经让一名世界级的毒犯从身边溜过，只因为地铁里的验票机只识别便士。当时在登记处排队，有人在栏杆边上拦住了他，他正要赶乘地铁去贝

克街，但因为一张五英镑的纸币（当时他只有纸币）与检
票员发生了争吵。与此同时，那名罪犯已经坐上了环线地
铁，当他再次得到罪犯的消息时，罪犯已经到了君士坦丁
堡，装扮成英国教堂的一位牧师与他的侄女在旅游呢。都
准备好了吗？走吧！"

他们一起向外走去，邦特跟在后面——关上了灯。

他们再次出现在皮卡迪利广场灰暗闪烁的灯光中时，温
姆西停下脚步，嘴里发出一声短促的惊呼。

"等一下，"他说，"我想起来一点事。要是萨格也在
那里的话，他会引起麻烦的。我得设法防着他点儿。"

他转身跑了回去，余下的二人在等待他的几分钟里乘机
拦住了一辆出租车。

萨格探长和他的一名下属塞布路斯正守候在卡罗琳皇后
公寓五十九号，这表明非官方的咨询是禁止的。帕克认为，
他们很难绕过去，而彼得勋爵也认识到他们遭到无理对待，
他上前恳求说是西普斯夫人雇用他来代替她的儿子的，但也
丝毫不起作用。

"雇用！"萨格探长说，紧接着哼了一声说，"要是她
不留神的话，也可能被雇用。没准她自己也被卷进去了呢，
仅仅是因为她耳朵聋罢了，毕竟她什么也干不了。"

"要知道，探长，"彼得勋爵说，"您这样挡着不让我
进去未必有用。您最好还是放我们一马——这您是知道的，
最终我们还是会进去的。见鬼，好像我们要抢你孩子嘴里的
面包片似的。当初为你寻找亚坦布里勋爵的绿宝石，也没有
人付给我报酬啊。"

"禁止参观是我的职责，"萨格探长没好气地说，"而且要坚持到底。"

"我可没说禁止参观有什么不妥。"彼得勋爵说，他顺势坐在台阶上，几次变换着姿势以使自己尽量舒服一些。"我一向认为坚持原则、谨慎行事是好事，当然不要过分夸张。正如亚里斯多德所说的那样，不要让自己成为被蒙蔽了眼睛的驴，萨格，这可是金玉良言呀，你当过这样的驴吗？我就当过。那可是需要整个玫瑰园才能治愈的精神疾病呀。萨格——"

　　　　"你是我美丽的金色玫瑰园，

　　　　"我拥有的玫瑰，其中一支，就是你！"

"我不想与你这样白费口舌，"萨格恼火地说，"太过分了。可恶的电话又响了。过来，卡松，去看看是怎么回事，是不是那个老泼妇同意让你进她的房间，也不知道她在那里声嘶力竭地喊什么。"萨格继续说，"谁碰到这样的案子都巴不得躲得远远的。"

过了一会儿，警官转了回来。

"是从警察局打过来的，先生。"他说着满含歉意地咳嗽了两声，"头儿说这里的一切向彼得·温姆西勋爵开放，先生。"他礼貌地退到一边，不停地眨着眼睛。

于是彼得勋爵一行走进了房间。

尸体已经在几小时之前被搬走了，浴室乃至整个公寓再次进行了检查，邦特照相机的闪光灯也不停地闪烁着。这里留下的唯一证人就只有房子的守卫者西普斯夫人，她的儿子和仆人都已经被抓走了。一切都表明，他们在整栋楼里并没有朋友，她倒是认识西普斯工作中的几个熟人，但却不知道他们的地址。整座楼底层的其他几间公寓被一个七口之家占据着，这家人目前多在国外避寒，只剩下一个面目狰狞、上了年纪的印度陆军上校独自与他的印度仆人住在一起。住在三层的一家人引起了他们的高度关注，他们头顶上方传来的吵闹声简直不堪入耳。彼得勋爵上去拜访了这家的男主人，结果遇到的却是一位弱小而猥琐的男子。可是他的夫人阿比尔多夫人可不一般，她穿着睡袍突然出现在彼得勋爵面前，进而把她丈夫从一片混乱中解救了出来。

"对不起，"她说，"恐怕我们不能介入这件事，这并非另人感到愉快的事情，先生——我记不起您的名字，我们总认为最好别和警察掺和在一起。当然，或许西普斯先生是无辜的，这也正是我们所期望的，他们真的很不幸。但就现场而言，我认为非常可疑，西奥菲鲁斯与我的观点一致。我可不想让别人说我们家在为一个杀人犯帮腔，如此一来我们会被别人认为是同谋。当然，您还年轻，先生——"

"这位是彼得·温姆西勋爵，亲爱的。" 西奥菲鲁斯温柔地说。

这位夫人却对他毫无印象。

"啊，是吗？"她说，"你不会和我的一个堂弟是远亲吧，就是卡雷斯布鲁克牧师。可怜的人呀！他总是轻信一些骗子的话，直到他死的时候也没有认清楚。我认为你和他长得很像，彼得勋爵。"

"对此我有点怀疑。"彼得勋爵说，"据我所知，他只是我的一个亲戚而已，能认出自己父亲的人就应该算作是聪明的孩子。恭喜你，亲爱的女士，毕竟您与我们家族有缘。您一定要原谅我在午夜还来打搅你们。现在，阿比尔多先生，不必再担心什么了。我目前所能做的就是把这位老夫人带到我母亲那里去，让她从你们的视线里消失，否则又会勾起你们基督徒式的情感而打乱一个男人内心的平静。晚安——先生，晚安——亲爱的女士，如此拜访实在是太讨扰你们了。"

"没关系。"阿比尔多夫人说着便在他一出门时就关上了房门。

"我要感谢仁慈与优雅
在我出生时她们露出了微笑。"

彼得勋爵说："一旦能有所选择，我会变得蛮横无礼。荡妇！"

凌晨两点，彼得·温姆西勋爵乘坐着朋友的汽车来到丹佛城堡的道尔寡居别墅，和他一起来的还有那位又老又聋的老夫人，还有她的那只破旧的手提箱。

"亲爱的，见到你真是太好了。"公爵夫人缓缓地说着。她个头不高，但很丰满，一头漂亮的白发，手指非常柔美。从相貌上看，她与她的二儿子并不很像，可是性格却非常相似。她的那双黑眼睛里溢满着喜悦，并不停地闪烁着。而她的举止、姿态之中无不透着优雅，行动也非常麻利。她身上随意地穿着一件华美的外套坐在一边，静静地欣赏着彼得勋爵吃东西的样子，而彼得此时正专心吃着已经凉了的牛排和奶酪。此次他所带来的人和事，说到底还是与这里的气氛很不协调，可是对于他来说，即便如此也算不了什么，这不过是一件普通的事情罢了。

"老夫人睡觉去了吗？"彼得勋爵问。

"是的，亲爱的。她受到了打击，不是吗？她很勇敢。

车站进行调查，发现西普斯在行李寄存处寄存了一个包，时间是晚上十点。警方对西普斯再次提出要求让他作出解释，这一次他结巴得更厉害了，说他步行用了个把小时，还说遇到了一位朋友，却拒绝说出此人究竟是谁，后来又说没有遇到朋友，到了也没说明白他在那段时间里到底干了什么，更说不清自己到家的具体时间。事实上，他根本没有说清楚任何问题。接着他们又提审了格拉迪斯·霍洛克斯。这一次，她说西普斯是十点三十分进的家门，并且承认自己没有听见他进屋的声音，却不能说清楚为什么没有听见，更无法说明自己当初为什么说听见了，完全自相矛盾。她哭得很伤心，泪如泉涌。大家都被惹急了，于是把他们俩全都逮了起来。"

"据你所说，亲爱的，"公爵夫人说，"情况听起来非常混乱，没有一点条理可言。可怜的西普斯先生一定是被某些突如其来的事情弄得乱了方寸。"

"我真想知道他自己到底都干了些什么。"彼得勋爵若有所思地说，"我认为他是不会杀人的。更何况，我相信躺在他浴室里的那个家伙已经死了一两天了，虽然还没有经过法医的证据证明，但也不过是一个有趣的小问题而已。"

"真是让人感到好奇，亲爱的。不过鲁本先生也实在可怜。我必须给利维女士写几句宽慰的话，从前我和她的关系非常好。还记得吗，过去在汉普郡那时，她还是个小姑娘，那时她叫克里斯蒂娜·福特。直到现在我还对她因为嫁给了一名犹太人而引起的那场可怕的风波记忆犹新。当时这名犹太人并不富有，不过，他在美国经营石油生意。而她的家人想把她嫁给朱利安·弗雷克，他后来发展得很好，而且一直与她家保持着联系，可是她已经与利维先生坠入了爱河，同他私奔了。利维长得非常英俊，你知道的，一脸外国人的长相，可是当时就是没有财产，而且福特家不喜欢他的宗教信仰。当然，如今我们都已经接受了犹太人，他们从不花心思装模作样，完全不像我们在波彻斯特家遇到的西蒙斯先生，总是对别人吹牛说自己在研究意大利文艺复兴时期的材料，宣称自己是伊莎贝拉·西蒙尼塔的后裔，愚昧之极，还以为别人都会相信他的鬼话似的。我认为有些犹太人的确不错，我自己倒希望他们能有所信仰，尽管非常繁琐，比如星期六不工作啦，给可怜的孩子们行割礼啦，根据玄月来断定事物的好坏啦，更有意思的是他们都有非常拗口的名字，再有就是早餐从来不吃咸肉。如果她的确是为了爱情嫁给那样的人倒也非常不错的。我认为年轻的弗雷克可是为她付出了一生的代价，他们现在依然是很好的朋友，倒不是因为他们曾经有过婚约，而是某种深深的理解。他至今没有结婚，而是自己独自住在医院旁边的一所大房子里。尽管现在他非常富有，也很出色，而且，据我所知，有很多人都想笼络他——美因沃琳女士就想把自己的大女儿嫁给他，可是对于一个外科大夫来说，漂亮的外形根本吸引不了他，他们有太多鉴赏的机会。不是吗，亲爱的。"

"利维夫人似乎有让男人们为之倾倒的法宝，"彼得说，"像利维这样坚定、无私，献身于理想的人都无法抵挡得住。"

"这的确是事实。她很讨人喜欢，大家都说她女儿长得很像她。自打她结婚之后，我就再没见过他们，因为你父亲不大喜欢与做买卖的人来往。但我知道他们是一对恩爱夫让莫贝尔小姐来操作。格拉夫斯先生，这工作很辛苦，白天清洗，晚上分析，吃早点的时间是在六点三十分至十一点之间，没有固定的时间，而对犯罪现场调查要随时随地进行。真奇怪，那些有钱人整天无所事事，可是却总抱有一些不切实际的想法。"

"我感到惊讶的是你竟然能够坚持下来。"格拉夫斯先生说，"我们这里可不是这样。这里的生活宁静而有秩序。邦特先生，这方面我已经说过不少了。人们总是在固定的时间进餐，就餐的人都是穿着得体、受人尊敬的家庭成员。没有你所说的那种打扮妖艳的女人，而且这里晚上不再留仆人，关于这方面的事情已经不用再说了。我并没有固守着他们希伯莱人的循规蹈矩，邦特先生，我知道你在一个有头有脸的家庭也会发现这些优点。不过这些天以来气氛就要差多了，我想强调的是，作为一个白手起家的人，从来没有人说过鲁本先生粗俗，我们夫人，那就更不用说了，福特小姐，她是汉普郡福特家族的成员。他们俩非常和睦、恩爱。"

"我对您的观点表示赞同，格拉夫斯先生。以我主人的身份，他从来就不曾与我斤斤计较过——什么，啊，亲爱的，那当然是一个脚印，是洗澡时站在上面的油布。一个好心的犹太人能成为一个好男人，这是我常说的话，而且会向人们推荐他们定时吃饭和善解人意的品格。鲁本先生的饮食一向非常简单，不是吗？我是说，像他这样一个富人。"

"的确非常简单，"厨师说，"他和夫人吃的都很简单，不过，雷切尔小姐和他们一起用餐时，即使不是正式宴会，也总是吃得很丰盛，我必须用尽自己的一切才智进行烹饪。您明白我的意思吗，邦特先生。"

邦特先生对那把雨伞的把手进行了同样鉴定之后，开始钉床单用来遮住窗户。而客厅的女佣一直给他做帮手。

"很不错。"他说，"要是我把这只篮子放在桌子上，另一只挂在毛巾架上，再用点儿什么做背景——您真是个好人，佩敏夫人……啊，我多么希望自己的爵爷大人晚上也不用用人，多少次我都在夜里坐到三四点，等着叫他早起去调查发生在偏远地区的案件，而他总是弄得泥浆沾满衣服和靴子。"

"我认为这样有点不太好，"佩敏夫人温和地说，"真是粗俗。我认为，警察这样的工作是很不适合一位绅士去做的，降低了身份。"

"做每件事情都不容易啊。"邦特先生说，他很清楚爵爷高贵品格里的奉献精神以及他自己的感情全都投入到一个美好事业之中。"靴子扔到角落里，衣服挂到墙上，他们老这么说——"

"这都是因为他们这些人出生时嘴里就都含着一把银匙。"格拉夫斯先生说，"鲁本先生从来就没有放弃过他身上那些优秀、传统的习惯。衣服总是叠得整整齐齐，脱下来的靴子总是放在衣帽间，这样早上用起来也很方便。"

"可是前天晚上他忘了。"

"是衣服，不是靴子。总为别人着想，这就是鲁本先生。啊！我真希望他不会发生什么事情。"

"不会的，可怜的绅士，"厨师插话说，"至于别人说他偷偷摸摸出去，到某个不该去的地方办事情，我根本不信，邦特先生，我发誓他不会。"

"我想他们已经把消息告知了利维夫人。"彼得勋爵说。

"我想是这样，所以我最好还是去表示一下同情，安慰一下。你说什么，不去不好吗？你这样认为吗？不过也很不轻松，我去了说什么呢？"

"你说什么倒是无关紧要的，"彼得勋爵好心地说，"就看你会做些什么了。"

"谢谢，"弗雷迪爵士说，"我还是去为好。年轻人，看我的，随时为您效劳。无论白天黑夜，有事给我打电话。就这样，您看如何？"

"就这样。"彼得勋爵说。

约翰·米利根先生是米利根铁路船运公司驻伦敦的代表，此时他正在位于朗伯德街的办公室向秘书口授一份电报。他接过一张递上前来的名片，只见上面只有简单的两行字：

温姆西·彼得勋爵
马尔伯勒俱乐部

米利根先生对自己正在进行的工作突然被打断感到很不耐烦，可是，正如大多数美国人那样，尽管他们怀有深深的偏见，他们还是会尽量照顾到英国贵族们的面子。他用几分钟时间摘下一幅极富现代化且有美好发展前景的农场地图，便传话请客人进来。

"下午好。"勋爵说着，从容地大步走了进来。"您不为因此而浪费时间感到厌烦，的确令人钦佩。我不会耽搁您太久的，尽管我不善于开门见山地处理事情。我的兄长从来就不想要我代表我们的家族出面，说我做人非常糊涂，没有人能听懂我说什么。”

"彼得勋爵，非常高兴见到您。"米利根先生说，"为什么站在那里呢？"

"谢谢。"彼得勋爵说，"您知道，我算不上贵族，我的兄长丹佛公爵才是。我的名字叫彼得。我总认为这个名字听起来很蠢，它属于过去的年代，包含了太多家庭美德以及诸如此类的东西。我的教父教母们在我的洗礼仪式上负责给我起名，但是实际上他们并没有给我选一个好名字。不过，在三代公爵之后，我们总会有一名家庭成员的名字叫彼得，这些彼得们在以往的多次战争中曾背叛过五位国王，一想到这些，我就觉得没什么可值得骄傲的，因此，我得表现好一点。"

米利根先生巧妙地掩饰着自己对英国传统文化知之甚少的不足，不断地变换着自己的姿势，仅仅说了一句与加冕相关的话。

"谢谢，真的。"彼得勋爵说，"虽然您对我整个下午在这里大吹大侃未必真的感兴趣。呀！米利根先生，如果你像现在这样对客人提供舒适的椅子和上等的雪茄，我猜想他们不仅愿意来做客，而且会想住在您的办公室里。"他接着特意补充了一句，"我倒希望自己能有您这样脚趾部分被加长的靴子，别人怎么知道您的靴子尺寸呢？鞋头简直像土豆。看来还真有点费事。"

"说正经的，彼得勋爵，"米利根先生说，"您找我有什么事？"

"您知道，"彼得勋爵说，"我总是爱胡侃。今天厚着脸皮来找您，实际上是为我母亲的事。您知道的，我母亲是位非同一般的女人，可是她却没有意识到像您这样的人时间是何等的宝贵这样一个事实。我们并非要来强行麻烦你，米利根先生。"

"请不要这样说，"米利根先生说，"我非常乐意为公爵夫人尽点力，让她高兴。"

说到此，他自己也感到有些困惑了，是否公爵的母亲可以叫公爵夫人，可是当听到彼得勋爵接下来的发言，他便轻松地舒了一口气。

"谢谢，您这个人真是太好了。啊，是这样。我母亲精力始终非常充沛，您不知道吧，今年冬天她在丹佛张罗着要筹办一个类似义卖市场的活动，准备把因此而收取的财富用于修缮教堂的屋顶。米利根先生，这所教堂屋顶的情况确实很糟，简直就是老古董，还是早期的英式窗户，屋顶画着天使的图案，现在都已经断裂成很多碎块，雨水会顺着裂缝往下流，外面的冷风透过裂缝一直吹进教堂，掠过祭坛，牧师也因此而患上了风湿病。于是他们找来一个人帮忙修缮教堂，此人正是小个子西普斯，他和他那位上了年纪的老母亲就住在巴特西，都是平民百姓，我听说，他非常擅长于修缮这类画有天使图案的屋顶。"

话说到此，彼得勋爵一直仔细地观察着对方的反应，却并没有发现任何异常或手足无措的表现。于是彼得勋爵准备放弃这次调查，他接着说："我必须请求您的原谅，没完没了地唠叨着。实际上，我母亲她本人已经在着手进行着这项义举了，她认为这次慈善活动如果能同时举办一些演讲就更有意义了。所谓演讲也不过就是到场做个简短的发言，邀请知名的商业人士走走过场而已。演讲的内容可以围绕着'我是如何成功的'这样的主题，类似于'一滴石油与石油大亨'、'金钱执著与可可粉'等等。这些活动将极大地引起人们的关注，大家都会乐于加入进来的。我母亲所有的朋友都会去，也全都是并不富裕的穷人———还不够您的电话费，我的意思是说，我估计我们的收入可能还赶不上您打电话花费的费用，应该不会弄错吧？不过我们会抱着极大的兴趣聆听别人是怎样挣钱的，激励我们自己努力向上进取。不过，无论如何，我的意思是说，米利根先生，如果您能到场，代表美国人给我们讲几句话，我母亲一定会感到非常高兴的。讲话不必超过十分钟，您知道，那些当地人除了射击狩猎之外，对外界的情况知之甚少。更何况我母亲那边的人对某一件事物的注意力不会超过十分钟。但是我们将会为您的到来感到无限感激，而且还在当地住上一两天，也为我们提供一个全面了解美元的机会。"

"啊，好吧。"米利根先生说，"彼得勋爵，我非常乐意接受您的邀请。这毕竟是公爵夫人的建议嘛。可是不幸的是，那些古老的风俗习惯正在消逝。我非常高兴能够前往。您或许也愿意接受一点微薄的捐助作为维修基金的。"

事情的发展并非彼得勋爵所期望的那样，完全出乎意料。这未免有些唐突，仅凭一点蛛丝马迹就怀疑这样一名热心的绅士是残忍的杀人犯，而且还大言不惭地接受他为慈善活动捐助的一张大额支票，彼得勋爵心里感到颇有点不是滋味，可是也不得不顺水推舟把事情做下去。

"您真是个大好人。"他说，"我相信他们一定会感激不尽的。不过，您最好还是不要把钱交给我，您知道，我自估计到他的个头大约为六英尺四英寸的样子。

　　"遗憾的是，我无法把斯科特的脑袋搬到米利根的肩膀之上。"彼得勋爵说着便一头扎进城市混乱的人群之中，"可是，我母亲会说些什么呢？"

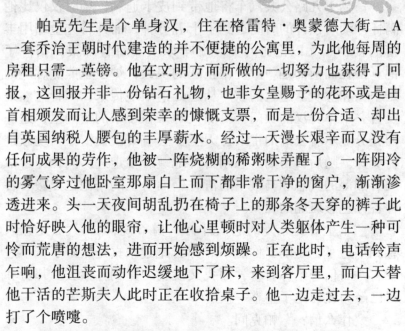

第 五 章

帕克先生是个单身汉，住在格雷特·奥蒙德大街二 A 一套乔治王朝时代建造的并不便捷的公寓里，为此他每周的房租只需一英镑。他在文明方面所做的一切努力也获得了回报，这回报并非一份钻石礼物，也非女皇赐予的花环或是由首相颁发而让人感到荣幸的慷慨支票，而是一份合适、却出自英国纳税人腰包的丰厚薪水。经过一天漫长艰辛而又没有任何成果的劳作，他被一阵烧糊的稀粥味弄醒了。一阵阴冷的雾气穿过他卧室那扇白上而下都非常干净的窗户，渐渐渗透进来。头一天夜间胡乱扔在椅子上的那条冬天穿的裤子此时恰好映入他的眼帘，让他心里顿时对人类躯体产生一种可怜而荒唐的想法，进而开始感到烦躁。正在此时，电话铃声乍响，他沮丧而动作迟缓地下了床，来到客厅里，而白天替他干活的芒斯夫人此时正在收拾桌子。他一边走过去，一边打了个喷嚏。

是邦特先生打来的电话。

"爵爷说如果您方便过去用早餐的话他将会感到十分高

兴的。"

如果熏肉的气味已经顺着电话线传送过来的话，帕克先生也就体会不到更加生动的欣慰了。

"告诉爵爷说我会在半小时后到达他那里，"他感激地说，随后便一头扎进那间也能当成厨房用的浴室里，同时告诉正准备用烧开的水冲茶的芒斯夫人说他要出去吃早餐。

"您可以把粥带回家去。"他不怀好意地补充道，接着便匆忙脱下晨缕，心里还非常自信地认为芒斯夫人一定会为此感到开心的，说完便大笑着匆匆离去。

一辆十九路公共汽车将他带到皮卡迪利广场时仅仅比他满怀冲动时预计的时间迟到了十五分钟，而邦特先生却用丰富的食物、无以伦比的美妙咖啡以及《每日邮报》招待了他。摆在面前的是一炉烧得正旺的炭火，炉子里熊熊燃烧的是木头和煤炭。遥远的歌声从远处清晰地传来，声音显然是发自一个单身汉的嗓门，可那人却呆在小小的空间里，这一切充分显示着公寓的主人一天至少会有一次让清洁与虔诚进行交锋。随后彼得勋爵悠闲自得地踱着步走进房间，浑身散发着潮湿的气息和马鞭草的清香，而身上的裕袍也点缀着各种各样色彩斑斓的孔雀。

"早上好，亲爱的老伙计，"爵爷说，"天气真是让人感到烦透了，是吗？你能不辞劳苦跑过来真是太好了，不过我有一封信想给你看看，而我又没精力跑到你家去。邦特和我已经为此讨论了整整一夜。"

"什么信？"帕克问。

"嘴里塞满各种食物的时候决不能谈业务。"彼得勋爵责备地说，"来点牛津果酱——之后我会把那本但丁的书拿给你看，他们昨天晚上才送过来。今天早上我该看点什么，邦特？"

"埃里斯爵士的收藏品将要进行销售，爵爷。《早间邮报》里有一篇文章专门对此进行了报道。我认为爵爷应该看一看《时代》文学副刊上由朱利安·弗雷克爵士针对《道德的生理基础》所作的评论文章。而《纪事》那本书里还很有些让人持有异议的抄袭行为，爵爷。《先驱》还有一些针对知名旺族的攻击之辞——写得相当尖刻，如果我可以这样措辞的话，但是并非完全无意识的幽默，而爵爷您对这样的幽默应该是比较欣赏的。"

"好吧，把这些东西，还有那有抄袭嫌疑的书拿给我瞧瞧吧。"他的爵爷说。

"我还查看了其他的报纸，"邦特先生继续说，一边指了指一堆胡乱扔着的报纸，"而且在上面注明爵爷将在早餐之后阅看。"

"哦，你可别绕着弯子提到那个案子，"彼得勋爵说，"这样会把我的好胃口都弄糟了。"

房间里一下沉默下来，只听见啃烤面包片的嘎吱声和翻动报纸的噼啪声。

"我了解到警方暂时中止了调查。"帕克过了一会儿开口说。

"没有别的事情可做。"彼得勋爵说，"可是利维夫人昨天晚上去了，而且今天也不得不满足萨格的愿望再去，可是也无从对尸体进行辨认。"

"我们还有时间。"帕克先生简短地说。

大家再次陷入沉默之中。

　　"我并不认可你刚才所说的抄袭行为，邦特。"彼得勋爵说，"在一定程度内那当然是允许的，但是那样做却严重地缺乏想像力。我想得到解决一个犯罪案件的想像力。你说的《早间邮报》在哪里？"

　　又是一阵沉默之后，彼得勋爵说："你派人去找出那张书单来。邦特，《阿波洛尼厄斯·罗迪欧斯》或许还值得一看。不，要是固执地坚持这种想法，我真是见鬼了。不过，如果你愿意帮忙的话，可以把这本书列入书单里。凡是关于犯罪案件的书就像书本身所展现出的内容一样十分引人入胜。可是这本书的作者却很顽固不化，自己非常执著。你们想一想，肝脏是上天赐予的一种器官——会在一个时期内保持正常，但是不一定始终都会保持这种正常的状态。如果你的见识仅仅在一个相当大范畴内受到限制的话，肯定你是能证明一些情况的。看看萨格这个人吧。"

　　"很抱歉，"帕克说，"我并没注意到这点。我认为，阿根泰因斯倒要稳定些。"

　　"米利根。"彼得勋爵说。

　　"佩鲁维安石油股的情况现在相当不妙。利维在那个方面倒是做得与众不同。佩鲁维安石油股先前那种有趣的喧闹声在他失踪以前刚刚掀起可是又渐渐变小，以至于完全偃旗息鼓了。我不知道他是否牵扯到此事之中。你都知道吗？"

　　"我会弄清楚的，"彼得勋爵说，"怎么回事？"

　　"哦，是这么回事，一个完全废止的企业已经多年不曾听闻有任何动静了，可是上周这个企业却突然间又重新生。由于我的母亲卷入到很久以前的一些麻烦事情当中，我才碰巧发现了这个情况。这个企业从未显示出过有良好发展的势头。可是现在它又逐渐开始消沉终止了。"

温姆西把自己的盘子推到一边，随后点着了烟斗。

"吃完饭后，我是不会介意干些工作的。"他说，"你昨天的调查进展如何？"

"没有得到什么实质进展，"帕克回答道，"我自己曾两次乔装打扮到那些公寓里上上下下进行了侦查。我先后化装成煤气计量员和收容犬类的队员，除此以外我别无借口。在巴特西大桥街的尽头那边顶层的一套公寓有个仆人，她说她记得有一天晚上曾听到房顶上传来一阵碰撞声。问她是哪天晚上，她无法准确地说出来。问她当时是不是星期一的晚上，她认为很可能是。问她是不是那天没有星期六晚上那样的狂风，就像把我房子上的烟囱顶管子都吹倒的那阵狂风，她除了说可能是那么回事以外也说不出别的。问她是否可以肯定她所听到的碰撞声发生在屋顶而并非是在公寓里面，而她却说可以肯定的是他们第二天早晨并没有发现有画框或者别的东西跌落在地上。她是个很容易受外界环境影响的女孩子。我还看见了你的几个朋友，也就是阿比尔多先生和他的夫人，可是他们却非常冷淡地接待了我，还对西普斯表示出不很确定的抱怨，除了说他母亲扔掉他的东西，而且还说他曾经事先未经邀请就到他们家串门，而且还随身携带着关于动物活体解剖方面的小册子。住在一楼的那位印度陆军上校倒是有着洪亮的声音，可是却让人感到意想不到的友好、和善。他送给我一些印度咖喱菜做晚餐，还有一些不错的威士忌，但是从某种角度上说他是个隐士一样的人，而他所能告诉我的一切就是他无法忍受阿比尔多夫人。"

"那么，你在那幢房子里什么情况也没有发现吗？"

"只有利维的私人日记，所以我就带走了那本日记。这就是那本日记。可是日记里并没有讲述太多的个人情况。全篇都是这样的条目：'汤姆和安妮来吃晚饭'；还有'我亲爱的夫人的生日，送给她一枚古老的猫眼石戒指'；'阿巴斯诺特先生顺便来喝茶，他想与雷切尔结婚，可是我希望更稳定一些的人来继承我的钱财'。我仍然认为那本日记里应该提到谁会到那所房子去以及等等诸如此类的情况。显然，他有晚上记日记的习惯，可是日记里却没有关于星期一的内容。"

"但愿这本日记会有用的。"彼得勋爵说着，一边翻开了日记的页面。"可怜的老好人。我真不知道他是怎样就此永远地离开了。"他向帕克先生详细说明了他当天的工作。

"是阿巴斯诺特吗？"帕克说，"那是日记里讲的阿巴斯诺特家的人吗？"

"我想是这样。我到处追查他，因为我知道他喜欢在股票交易所里游手好闲地鬼混。至于米利根，他看上去一切正常，可是我相信他在生意上一定非常冷酷无情，而且你永远也无法把他辨别清楚。还有就是那个长着棕黄色头发的秘书——长着像鱼一样的脸，满面春风，却没完没了说着'没关系'的算命先生——我想他是从家谱里继承了这样的口头禅。米利根，无论如何，已经找到一个极为有利的理由对利维怀疑好几天了。再有就是那个新来的人。"

"什么新来的人？"

"啊，就是我曾经跟你提到过的那封信。我刚才把那封信放在哪里了？——就在这里。质地不错的羊皮纸，上面印着在萨利斯布里的律师办公室的地址，而且还有相应的邮戳。信是由一个有着旧式习惯的年长商人用非常幼稚的钢笔字仔细而准确地书写而成的。"

帕克接过信念了起来：

"克里姆普尔汉与威克斯律师
"曼福德·希尔，萨利斯布里
一九二一年十一月七日

尊敬的先生：

"鉴于今日《时代》个人专栏中贵方所登载之告示，本人深感荣幸地坚信，告示中所提及之眼镜与链子可能系本人上周造访伦敦时遗失在电气化铁路上的个人物品。本人搭乘五点四十五分的那趟列车离开维多利亚车站，直到到达巴尔汉才发觉自己有所遗失。随函附来该眼镜之使用说明和眼镜制造商情况介绍——可即时作为本人所说情况之真实性证明。如经证明眼镜系本人物品，而贵方能好心通过挂号邮寄于本人的话，本人将不甚感激。因为那根链子是小女赠予之礼物，因此自是本人所有财物当中最为珍藏的宝贝之一。

"谨于此对贵方的仁义提前表示感激之情，也为因此而带来的诸多麻烦深表歉意。

"您十分真诚的朋友
"索尔斯·克里姆普尔汉

"彼得·温姆西勋爵
"皮卡迪利广场一一〇A

"见附件"

"天啊，"帕克说，"这正是你可以称之为意想不到的事情。"

"要么这是某种特别的误会，"彼得勋爵说，"要么就是克里姆普尔汉本人正是一位十分大胆而狡猾的恶棍。要么可能，那副眼镜根本就不是他那副，弄错了。我们也可以立刻针对这一点做出裁决。我认为那副眼镜就在苏格兰场。我希望你能给警方打电话，并让他们立即派人送来一份眼镜制造商的详细说明——同时你也可以问问这是否是一份非常普通的说明。"

"等着瞧吧。"帕克说着从电话机上摘下话筒。

"那么现在，"他的朋友在等消息送来的时候说，"就到资料室里呆一会儿吧。"

在资料阅览室的桌子上，彼得勋爵铺展开一系列溴化纸冲印而成的相片，有的已经干了，有的还有些湿淋淋的。

"这些小相片是我们已经拍到的原始相片，"彼得勋爵说，"而这些大相片是根据原来准确的尺寸放大的。这张相片是地板漆布上的那个脚印，现在我们会把它单独放在一边。现在这些指纹能分成五个部分。我在这些指纹上一一进行了编号——看见了吗？——而且我也列了一张清单：

"A 是利维本身的指纹，全都取自于他床铺边缘的那本小书和他的梳子上——这个和这个——你们千万别把这只大拇指上小小的疤痕弄错了。

"B 是星期一晚上睡在利维房间里的那个人带着手套的手指留下的模糊印记。这些印记很明显地留在了水瓶上和靴子上——这些印记都压在了利维本人的指纹之上。靴子上的印记如此清晰简直是太让人感到意外了，所以我可以推断出那双手套是橡胶的，而且后来被扔进了水里。

"这里还有另外一个有趣的现象。利维星期一的晚上在雨里走过，这一点我们是知道的，而这些黑色的痕迹就是泥污点。诸位可以看见这些黑色痕迹在所有的地方都压在利维的指纹上方。现在我们来看：在左边这只靴子之上，我们发现在靴子脚后跟皮革上的污泥之上有拇指的痕迹。可是正是此处让你能想象到有人强行脱掉了他的靴子。还有，这个陌生人的大多数指纹都是带着泥污的指纹痕迹，可是这又都是那些指纹上的泥污。上述这些情况让我推断出那个陌生人回来后去了小巷家园，他穿着利维的靴子，坐上一辆计程车，或者马车或者小汽车，可是因为某些原因或别的什么，他走了一段距离——刚好踩在了一个水洼里，结果将泥点溅到了靴子上。你对此会说些什么呢？"

"非常好，"帕克说，"虽然有点错综复杂，而且那些指纹并不全都是我希望找的那么一个指纹。"

"那好吧，我不会把太多重点放在这上面。可是这与我们先前的想法是吻合的。现在，我们还是回过头来看一看：

"C是由我自己那名特别的坏家伙遗留在西普斯浴缸边缘深处的指纹，这是非常有帮助的，你能在那个地方找到这些指纹，而且我应改为还不曾发现这些指纹而找找根源。这只左手，你看，手掌的根部和手指，可是却没有指尖，看上去好像是他在倾斜向下要调节底部的某种东西而将自己稳定在浴缸的边缘，可能是那副夹鼻眼镜吧。带着手套的，你看，可是却看不到任何一种脊线或是接缝——

"那能让你成为众人关注的中心，"他说，"感谢上帝，萨格极不习惯我为公众所关注这样的事实。这个专栏专门刊登那些令人痛苦的内容真是无聊透顶！'亲爱的皮普西——还是快点回到你那位心烦意乱的波普塞身边'——还有那些常常提到需要经济救助的年轻人以及必须常常记住的禁令'记住这些年轻人的创造者。哎！这是警钟。哦！从苏格兰场发给我们的回复送来了。"

来自苏格兰场的便笺里附着一张眼镜制造商的说明书，与克里姆普尔汉先生送来的那份说明书完全相同，而且上面还有补充说明，由于镜片的特殊力度和两只镜片之间视力的显著差异，都说明那是一副非同寻常的眼镜。

"简直太棒了！"帕克说。

"是的，"温姆西说，"那么我们头脑中就可能想到第三种可能性。第一种可能性是意外事故或者是误解，而第二种可能性就可能是胆大包天、精于算计而谨慎的恶棍——实际上，是创作者的特征或者说是我们两个人的问题的创作者的特征。我曾有幸进入大学成为学生，根据在我大学阶段所被灌输的众多方法，我们现在应该分别检查一下由第二种可能性涉及到的各种不同设想，这一可能性或许还可以再细分为两种或更多种假设。关于假设之一的情况（是受到我们杰出的同仁斯纳普希德教授所极力追捧的情况），罪犯，我们将他称之为 X，并非克里姆普尔汉，但是他却用克里姆普尔汉的名字作为自己的挡箭牌或庇护。这一假设又能进一步细分为两种可能性。可能之 A：克里姆普尔汉是一个无辜而且不自觉便成了作案同谋的人，而 X 是他手下的雇员。X 以克里姆普尔汉的名义，用克里姆普尔汉的办公室里印有公司名称抬头的公文纸写下了我们调查中的那封信，比如眼镜，寄希望于邮寄到克里姆普尔汉手中之前，找机会拦截住包裹。假设 X 是克里姆普尔汉的打杂女工、办公室勤杂人员、办事员、秘书或者守门人，这为调查提供了一个范围很广的空间。调查的办法是找克里姆普尔汉谈话，了解他是否邮寄过那封信，如果他不曾那样做过，是谁有可能接近他的信件。可能之 B 在于克里姆普尔汉受到 X 的影响或者处于 X 的掌控之中，他有可能被误导或受到诱骗写下那封信，原因可能是 a)受贿；b)受误导；c)受到威胁。X 在此种情况之下很可能是一个很会劝说人的亲戚或朋友，也或者是别的某个债权者、讹诈者或是行刺者；而另一方面，克里姆普尔汉显然是一个用钱就可以实施收买的家伙或者是一头蠢驴。在此情况下进行调查，我会尝试着提议再次找克里姆普尔汉会谈，在他面前摆出案件的有力事实，用最具威胁性的语言确切地告诉他，在查实凶杀犯罪的全部事实之后他肯定会因同谋罪而被处以长期劳役监禁——啊哈！相信吧，先生们，如果你们跟着我这样深入调查下去，我们将直接越过去考虑第二种假设，而我个人是倾向于这种假设情况的，根据这一假设，X 就是克里姆普尔汉本人。

"在此情况下，用英语中的经典词句来说，他是一个具有无穷资源和远见卓识的人，正确的推论结果将是，在所有的人当中，我们将最后找到回复我们所刊登的那则告示的那个人应该正是罪犯本人。由此我们可以肯定，他要了一个非常大胆的欺骗游戏。他故意制造出机会让眼镜轻易遗失或被盗，之后再找到借口寻找眼镜。如果与他对质，没有人会比他更惊讶地得知眼镜是在哪里被找到的。他会编造出一些证人以证明他是五点四十五分离开的维多利亚车站，并于计划的时间从巴尔汉的车站出来，而且后来，星期一的整个晚上都在与一位受人尊敬和爱戴，在巴尔汉享誉盛名的先生下着象棋。在此情况下，调查的办法就是仔细盘问那位受人尊敬与爱戴的巴尔汉的先生。如果他碰巧是一位单身绅士，而他的管家却有些耳背，要对其不在犯罪现场的证据的怀疑可能不是件简单的事。因为，除了侦探侦察到的各种离奇情况以外，很少有验票员和巴士乘务员对那个星期每天晚上来往于巴尔汉与伦敦之间的所有乘客都留下准确的印象。

"最后，先生们，我想坦率地指出所有这些假设中存在的薄弱环节，那就是：没有任何一种假设可以说明为什么头一件事情就是尸体身上如此醒目地留下可以证明无罪的证据。"

帕克一直非常赞赏地耐心聆听着这场学术剖析。

"可能不是 X，"他提议说，"而是克里姆普尔汉的某个敌人，此人若想设计将嫌疑栽嫁于他头上呢？"

"凶手可能会这样做。如果是这样，他就很容易被人发现，因为显然他就生活在克里姆普尔汉的周围，也会有机会接近他的眼镜，而克里姆普尔汉为了保命可能成为具有一定价值的犯罪同谋而受到指控。"

"那么最大的可能性是什么呢，是误会还是意外事故呢？"

"哦！哦！现在是讨论，没有任何可能，因为实在没有讨论的谈资。"

"无论如何，"帕克说，"显然必须进行的过程就是去一趟萨利斯布里。"

"看来的确是有些暗示存在的。"彼得勋爵说。

"很好，"侦探说，"是你、是我亦或是我们两个人呢？"

"应该是我，"彼得勋爵说，"理由有二。第一，因为，如果（出于第二种可能性的第一种假设中选项A）克里姆普尔汉是一个清白无辜却被别人利用的人，刊登出告示的人就该是那个处理财产的人。第二，因为，如果我们采用我们的第二种假设，我们不该忽视不祥的可能性，就是克里姆普尔汉——X精心设下了一个圈套使自己脱身，让人们认为他并非那个在报纸里公然登载出对巴特西家园迷案结果怀有兴趣而无丝毫戒备的人。"

"就我看来，我们两个人一起去是值得探讨的事情。"侦探反驳道。

"从长远来说"彼得勋爵说，"我们为什么要干对凶手有利的事情，把伦敦仅有的两个掌握证据的人送到他门下，如果情况果真如此，我可不可以认为正是这样的理智把此人与巴特西那具尸体联系在一起了呢？"

"可是如果我们告诉苏格兰场那边我们打算到哪里去的话，我们两个人就都上当了，"帕克先生说，"那将推测出强有力的证据以证明克里姆普尔汉的犯罪事实，而且无论如何，如果他不会因谋凶浴缸里的那个人而被处以绞刑的话，也会因谋杀我们两个而被处以绞刑。"

"这样一来，"彼得勋爵说，"如果他仅仅只是杀了我，那么你还可以绞死他——浪费一个像你这样健康而且还有结婚可能的年轻男子会有什么好处呢？除此以外，老利维会有什么情况呢？如果你无法进行调查了，你是不是认为别人会找到他呢？"

"可是我们只能用苏格兰场那边的情况来威胁克里姆普尔汉以吓唬他。"

"哦，管不了那么多了，如果情况真的走到那一步，我会用你来吓唬他。看吧，单就你手中掌握的证据这一点就更是命中要害之所在了。而且，假设最后只是徒劳的调查，那么你对此案一直进行的调查也纯属浪费时间。现在有几件事情需要处理。"

"好吧，"帕克说着沉默了下来，可是一会儿又有些不情愿地说，"如果那样的话，我为什么不能去？"

"废话！"彼得勋爵说，"我受聘来处理这个案件（受老西普斯夫人之聘，本人对她怀着极大的尊崇之心）而且也纯属承蒙好意我才让你来处理相关的事情。"

帕克先生无奈地低声哼哼了几句。

"你至少会带上邦特吧？"他说。

"考虑到你的感受，"彼得勋爵回应到，"我会带上邦特，尽管他拍些照片或者照应我的衣橱或许更能发挥作用。有在理想的时间开往萨利斯布里的列车吗，邦特？"

"最合适的一班火车是十点五十分，先生。"

"劳你大驾安排一下，我们就赶这趟车。"彼得勋爵说着急匆匆地拽下身上的浴袍，在地上拖着走进了卧室。"还有，帕克——如果没有别的事情可干，你可以去找利维的秘书，然后了解一下关于佩鲁维安石油股的那件事情。"

彼得勋爵随身带着鲁本·利维爵士的日记在火车上浏览起来。日记写得非常简单，看上去也就是近来发生的一些事实，相当于一份看起来令人感到忧郁的文字（哀婉动人的文字）。这位股票交易所里令人闻声丧胆的斗士，只要点点头就能让证券交易所里那些粗暴无礼的空头们不停哆嗦，或者会使证券交易所里那些凶猛残酷的多头们不可收拾，他的喘息都足以能摧毁整个地区，带来饥荒或是能把那些金融界当权者们从其高高在上的座位上清扫下来。就是他这样一个人，在私生活方面却表现出极其和蔼可亲的一面，非常顾家，对自己和自己拥有的一切都感到清高、自豪、非常自信，大方而有一些乏味。他的个人小金库说明几乎同时也变成了夫人和女儿的奢华礼物。日记里反映出一些家庭日常生活中的小事，例如"有人来修补暖房的屋顶"，或者"新来的男管家（辛普森）到了，他是由戈尔兹伯格家推荐来的。我想他会感到十分满意的"。所有的来访者和娱乐活动都在日记里进行了一定的描述，从一顿非常豪华的午餐到外交部的迪尤斯布里爵士，以及美国全权特使杰贝兹·K·沃特博士；从一系列外交方面的晚宴参加者们到杰出的经济学家们，以至于下至由专门为拥有基督教教名或者绰号的人所举行的亲密的家庭聚会。大约在五月的时候提到了利维夫人的精神问题，而且在随后的几个月中关于这个话题进行了更加深刻的描述。到九月份时，日记里写道："弗雷克来看望我亲爱的夫人，并建议进行全面的休养，还要改变目前的环境。她想同雷切尔到国外去。"那位著名的神经问题专家的名字作为一位晚宴出席者或午宴的参加者后来大约每个月都会出现一次，因此在彼得勋爵看来弗雷克对于利维本人是进行咨询的最佳人选。"人们常常会把很多事情告诉大夫。"他对自己低声说，"还有，啊！如果利维星期一晚上直接去看弗雷克，也就相当于解决了巴特西案件，不是吗？"他记录下来准备调查米利根爵士，然后继续向后翻看着日记。九月十八日那天，利维夫人与女儿前往法国南部地区。之后，突然，在十月五日的日期下面，彼得勋爵终于发现了他一直在找的情况："戈尔兹伯格、斯克林勒以及米利根前来共进晚餐。"

这个证据说明米利根曾去过那所房子，而且还召开了一次十分正式的招待会——在打斗之前决斗双方握手言和的一次会议。斯克林勒是一位著名的画品交易商。彼得勋爵想象当时的情形是晚宴过后，大家纷纷到楼上去看画室里的两幅画，还有利维家族最年长的女孩的画像，此人早在十六岁那年就去世了。那幅肖像画是奥古斯塔斯·约翰画的，而且挂在了那间卧室里。日记里不曾提到那个长着棕黄色头发的秘书的名字，除了在另外一则日记里记着一个大写字母 S 代表着那个人以外，再也没有任何痕迹了。在整个九月和十月，安德森（是维德汉姆家的那个人）始终是频繁出现的一位拜访者。

彼得勋爵看着日记摇了摇头，转而思考起巴特西家园迷案的情况来。在利维事件中，犯罪动机是很容易找到的，如果的确是犯罪行为，那么真正的困难在于弄清犯罪事实的办法和受害者的行踪下落，而在另一桩案件中要调查的主要障碍在于完全不知晓所能想象得到的作案动机。奇怪的是，尽管各个国家的很多报纸都登载了关于这一事件的消息，而且对于尸体详细情况的描述也都发布到这个国度的每一个警察局，可是却没有任何人前来辨认西普斯先生浴缸里的那个神秘的占用者。关于刮干净胡子的下巴，头发削减得体以及夹鼻眼镜的情况描述会在一定程度上给人以误导，让人误以为那正是实际存在的情况，可是另一方面，警方已设法找到了遗漏的臼齿数量、身高、现场的一些情况以及能够准确表述出来的其他情况，还有就是能够推测到死亡出现的时间。可是，看起来此人仿佛已经从这个世界上蒸发不见了，却没有留下丝毫痕迹或者像一根丝带那样丁点的线索。要确定谋杀动机，而受害人却是一个没有任何关系、没有任何前提，甚至是没穿衣服的人，就像是要竭力设想出四维的物体——那只是对想像力的一种美妙练习，可是却相当艰难且极没有说服力。即使那天的会谈能够揭开过去一些黑暗的污点或是克里姆普尔汉先生的所作所为，这些东西又怎能与一个表面上看来根本没有过去的人联系起来，而此人的活动只局限于一个浴缸和一间警方停尸房这样一些狭窄的限制因素？

"邦特，"彼得勋爵说，"请你今后一定要防止我在讨论中提出一些细枝末节的问题。有些问题不知是从哪里跑出来，而另外一些问题也不知要走到哪里去。这是一种心理的双向分歧，邦特。这种情况一旦结束，我将静悄悄地离开，断然放弃警方的各种新闻，然后开始采纳近来查尔斯·加维亚作品中所建议的饮食方式，这种饮食能使人皮肤组织变柔软。"

相对而言，大教堂酒店更接近米尔福德山，因此彼得勋爵选择在这里用午餐而不是在白雄鹿酒店或者其他风景优美的旅馆。并不是一顿午餐就能让他感到身心愉快的，如同所有拥有大教堂那样的城市一样，教堂周围地区的气氛弥漫在萨利斯布里的每一个角落。在这座城市里也没有一种食品里不带着祈祷书的味道。他忧郁地坐下来，一边毫无感觉地吃起了所有英国人所熟知的那种不能称之为"奶酪"，也无法激发人热情的白乎乎的东西（因为有些奶酪会打着某种品牌公开销售，如斯蒂尔顿、卡梅姆伯特、格鲁耶尔、温斯勒黛尔或者是格恭泽拉，但"奶酪"就是奶酪，而且所有的地方都是如此），一边向侍从询问起克里姆普尔汉先生的办公室所在地。

侍从指着远处街道对面的一座房子，向他补充道："这里所有的人都会告诉您的，先生，克里姆普尔汉先生在周边地区非常有名。"

"他是一位出色的律师，我想是这样吧？"彼得勋爵说。

"哦，是这样的，先生。"侍从说，"谁也无法达到像克里姆普尔汉先生那样更让人信赖，先生。有传言说他非常守旧，但我情愿把自己的小事情交给克里姆普尔汉先生去打理，也不愿意随便找到那些轻率、浮躁的年轻人。可是克里姆普尔汉先生很快就要退休了，先生，我可以毫不置疑地说，他肯定接近八十岁高龄了，先生，或许已经八十岁了，不过有位年轻的威克斯先生接管他的业务，而且此人也是非常出色而稳重的年轻绅士。"

"克里姆普尔汉先生果真有那么大年纪了吗？"彼得勋爵说，"天啊！对于他这把年纪的人来说他应该算是非常活跃。我的一位朋友上星期还与他一起在伦敦谈业务呢。"

"的确非常活跃，先生，"侍从表示赞同地说，"而且您一定会为他那两条运动健将的腿大感吃惊的。不过还有一点，先生，我常常在想一旦男人超过了某个年龄，年纪越老，他就会变得越强悍，而且女人也可能是同样的情况或者更甚之。"

"很可能是这样。"彼得勋爵说着，脑海里立刻浮现出一位年满八十的老绅士，在一个午夜背负着一具死尸迈着一双矫健的长腿在巴特西一套公寓的房顶上行动的情景，随后又迅即打消了那样的念头。"他的确非常强悍，先生，是的，强悍，像是老乔伊·巴格斯托尔一样，强悍而狡猾。"他不假思索地补充道。

"的确是这样吗，先生？"侍从说，"我可以肯定是这样，但我不能那么说。"

"请原谅。"彼得勋爵说，"我刚才是在引用诗文，真是傻透了。我遗传了我母亲的这个习惯，可是也无法彻底改掉。"

"没关系，先生。"侍从说着一边将对方慷慨解囊送来的小费装进了口袋。"非常感谢您，先生。您会很容易就找到那座房子的。就在您走到旧便士街之前，先生，大约拐过两个弯，就在右手方的对面。"

"恐怕这样会干掉克里姆普尔汉—X。"彼得勋爵说，"我很遗憾，在我先前的印象里，他就是一个极其邪恶的形象。不过他依然可能是那双黑手背后的主使者——要知道，老蜘蛛总是隐蔽地躲在摇晃的网中央让人无法发觉的地方，邦特。"

"是的，爵爷大人。"邦特说。随后他们一起沿街道走去。

"在路的那边有一座写字楼。"彼得勋爵继续说，"我认为，邦特，你到这家小店里去买一份体育报。如果我没能从那个恶棍的巢穴中走出来——比如说大约四十五分钟之内的话，你可以按先前我明确交代的行动计划采取行动。"

邦特先生接受指令转身走进了那家店铺，而彼得勋爵则穿过街道，满怀坚定的决心摁响了律师的门铃。

"真相，一切真相，而且除了真相没有任何东西能让我在此心满意足，我猜想就是这样。"他低声嘟囔着，这时一名办事员打开了大门，他毫不迟疑地将自己的名片递了过去。

有人立即把他带进了一个看上去非常机密的办公室，里面摆设着清一色维多利亚女王统治时代早期的家具，而且看上去从那时起就从未发生过任何变化。一位精瘦而貌似虚弱的老绅士迅速从椅子里站了起来，并在他朝房间里走进来的时候一瘸一拐地走上前来迎接他。

"我亲爱的先生，"律师感叹道，"您能亲自光临真是太好了！我实在为给您带来如此之大的麻烦感到羞愧。我相信您一路奔波，但愿我的眼镜没有给您带来其他任何不便之处。请坐吧，彼得勋爵。"他从鼻梁上的夹鼻眼镜的上面感激地注视着眼前这位年轻人，而此人显然已经在苏格兰场对相关的档案材料进行过研究。

彼得勋爵坐了下来。律师也随后紧跟着坐了下来。彼得勋爵从桌子上拾起一只仅纸张分量重的眼镜片，并若有所思地在手里掂量着。潜意识之下，他注意到自己在上面留下了一对十分醒目的指纹。于是他将镜片又放回到一堆信件的正中央。

"这样非常好，"彼得勋爵说，"我到此来是出差的。很高兴能够为您服务。一个人丢失了眼镜是十分可怕的事，克里姆普尔汉先生。"

"正是。"律师说,"我敢肯定如果没有眼镜您一定会感到失落的。我现在戴着的这副眼镜不很适应我的鼻子——除此以外,那根眼镜链子对我也有着深厚的感情价值。我一到巴尔汉车站便发现我遗失了那副眼镜,因而感到十分难过。我多次向铁路部门询查,但都没有达到目的。我担心眼镜可能是被人偷走了。维多利亚车站的人多如潮,而且到巴尔汉车站的一路上车厢里挤满了人。您是在那趟列车上偶然发现那副眼镜的吗?"

"哦,不,不是。"彼得勋爵说,"我是在一个极其意想不到的地方发现的这副眼镜。您不会介意告诉我您是否辨认得出那次出行与你一起的人吧?"

律师瞪大眼睛盯看他。

"没有鬼魂。"他回答道,"你为什么要问这些?"

"哦,是这样。"彼得勋爵说,"我认为可能那个——那个与我一起找到眼镜的人会认为悄悄拿走这副眼镜不过是开个玩笑而已。"

律师看上去满脸疑惑不解的样子。

"那个人说我认识他吗?"他询问道,"实际上我在伦敦不认识任何人,除了那个一直和我待在巴尔汉的朋友,菲尔波茨大夫,而且我对于他会在我身上开这种玩笑感到非常惊讶。他非常清楚我对丢失那副眼镜会多么难过。我当时是要参加麦德里考特银行的一次股东会议,可是到场的其他先生对我个人而言都很陌生,而且我不认为他们中的任何一个会有如此之大的自由度那么做。无论如何,"他补充道,"既然眼镜已经在这里,我不会过多追问他们留下这东西的

93

方式。我很感谢您，并为给您带来的麻烦感到抱歉。"

彼得勋爵犹豫了片刻。

"请原谅我表面上爱刨根问底的做法，"他说，"可是我必须再向您提出另一个问题。我担心，这个问题听起来让人感到相当吃惊而且夸张，但是问题就在于此。您是否意识到您有什么敌人——任何人，我的意思是说那些因为您的——亡故或者蒙羞而可能获利的人呢？"

克里姆普尔汉先生目瞪口呆地僵坐在那里，满脸不悦的样子。

"我能否问清楚这个特殊问题的意思呢？"他生硬地问道。

"是这样，"彼得勋爵说，"情况有一些非同寻常。您可以回忆一下我在告示里针对那位出售眼镜链的珠宝商所发表的申明。"

"当时那则告示的确让我感到意外。"克里姆普尔汉先生说，"可是我开始以为您的告示与您的所作所为仅仅是一件小事。"

"那些的确不值一提，"彼得勋爵说，"实际上，我从来就没有料想到眼镜的主人会对我的告示做出回应。克里姆普尔汉先生，不用说您早就已经看过各大报纸上关于巴特西家园谜案的一些报道。您的眼镜正是在尸体身上找到的那副，而且眼镜现在就在苏格兰场警察局里，这点您可以从这上面看出来。"他把写有那副眼镜的具体情况的官方文书摆在克里姆普尔汉面前。

"哦，上帝！"律师惊叹道。他扫了一眼那份文书，接着眯起双眼盯起了彼得勋爵。

"您本人是否与警方有联系呢？"他问道。

"并非官方正式的，"彼得勋爵说，"我只是私下里调查这个事情，站在一方的利益上。"

克里姆普尔汉站起身来。

"我的好先生，"他说，"这是一个非常无礼的企图，但是讹诈是一种可以指明的侵犯行为，因此我建议你在干蠢事之前立刻离开我的办公室。"他摁响了呼叫铃。

"我曾担心您会这么干，"彼得勋爵说，"无论如何，这事看起来应该是由我的朋友帕克侦探来干的工作。"他把帕克的名片放在了放有眼镜说明的桌子上，然后补充道："如果您想再见我的话，克里姆普尔汉先生，明天上午以前，您都可以来大教堂酒店找我。"

克里姆普尔汉先生对继续回答问话表示出满脸的不屑，对已经走进房间的那位办事员说："把这个人带出去。"

在房子入口处，彼得勋爵碰巧与一位走进来的高个子年轻人擦肩而过，那个人也惊讶地认出了他并且盯着他。可是那个人的脸却在彼得勋爵的脑海中并没有留下过任何印象。于是这位感到困惑的绅士将邦特从店铺里叫出来，离开那个地方回到酒店去给帕克打长途电话。

与此同时，在办公室里，克里姆普尔汉先生为彼得的造访而深感愤怒，他的沉思因为合作伙伴的闯入而遭到打断。

"我说，"后者说，"最后真的有人干了这种阴险邪恶之事吗？到底是什么原因把这样一个引人关注的犯罪学业余人士带到我们这个令人郁闷的门槛里来的呢？"

"我成了一场讹诈犯罪中具有下流企图的牺牲品。"律师说，"一个想借用彼得·温姆西勋爵的头衔冒名顶替的人——"

"可是那的确是彼得·温姆西勋爵本人。"威克斯先生说,"我们并没有把他弄错。我在亚坦布里绿宝石案件中见过他提供证据。要知道,他在那个圈子里可是个大人物,而且经常和苏格兰场的头脑人物外出垂钓。"

"哦,天啊。"克里姆普尔汉说。

命运的安排让克里姆普尔汉先生的神经整个下午受到了磨练。他在威克斯先生的陪同下来到大教堂酒店时,却从搬运工那里得知彼得·温姆西勋爵外出了,并且还提到说他想参加晚祷。"可是他的跟班在这里,先生。"他补充道,"如果您愿意留下口信的话。"

威克斯先生认为从全面考虑还是留下一条口信为好。邦特先生此时正按要求坐在电话机旁,等候着一个长途电话。威克斯先生正要与他说话的时候,电话铃响起来,于是邦特先生周到而礼貌地说明自己的失陪,然后摘下了话筒。

"您好!"他说,"是帕克先生吗?哦,感谢?交易!交易?抱歉,您能帮我接到苏格兰场吗?很抱歉,先生,让您久等了——交易!好的——苏格兰场——您好!是苏格兰场吗?——请问帕克侦探在吗?——我能与他说话吗?——我就耽误一小会儿,先生们——您好!是您吗,帕克先生?如果您方便到萨利斯布里来一趟,彼得勋爵将会不胜感激的,先生。哦,不,先生,他现在身体状况非常好,先生——只是四处走走停停,去做晚祷而已,先生——哦,不,我认为明天上午就不错,先生,谢谢您,先生。"

第 六 章

事实上，对帕克先生而言离开伦敦是极为不便的，但他却不得不离开，而且他还要在临近中午的时候去看望利维夫人，可是接下来他那一整天的计划就出现了失控。因为萨格探长的调查似乎没有取得任何明确进展，那天下午要就已经休会而关于西普斯先生那位不为人知的造访者继续开庭调查，于是帕克先生的行动安排也因此受到拖延。陪审团和各位证人将为此于三点钟被召集到一起。如果不是帕克先生当天上午在广场上碰巧遇到萨格，并费尽周折才好不容易地得到关于调查的消息，他很可能就已经错过了这样重大的事情，而他要获悉这消息所费的工夫就像对付一颗很难处理的牙齿一般艰难。萨格探长实际上也认为帕克先生有些多管闲事，而且他还与彼得·温姆西勋爵密切地联系在一起，可是萨格探长对彼得勋爵的多管闲事却不敢有微词。尽管如此，当他直接被人提及此事之时，他却无法否认当天下午的调查会，而且他也无法阻止帕克先生享受法律所赋予的权利，那就是任何有利益关系涉及其中的英国公民所拥有的不可剥夺的权利。三点还不到，帕克先生就来到了他的位置上，并津津有味地注视着那些在法庭上人满为患之后才到达的人要设法挤进法庭的众生相。这些人要么采用贿赂之术，要么就为占据一块优势位置而霸道地竭力撕扯着。验尸官是一位养成精确习惯却不具备任何想象色彩的医学人士。他非常准时地来到法庭上，然后满脸严肃地环顾了一下法庭四周拥挤不堪的人群，接着还示意打开所有的窗户，以便让外面细雨般的蒙蒙雾气弥漫进来，漂浮在法庭里一些并不走运的家伙头顶之上。他的举动引发了法庭上一阵骚动和一些不满言辞。验尸官严厉地审视并了解到这一切，于是他解释说，在一个不通风的房子里再次引起流感，法庭就会像死亡陷阱一样，并且还说任何人只要反对打开窗户，他就已经拿到了法庭的准确处方，必须立刻离开，更有甚者，如果出现任何骚动，法庭将会对其予以清理。随后他取出一个菱形法锤，便开始了调查。在经过一系列正常的开场程序之后，他召集来十四名表现出色而且守法的人士，要求他们忠实于调查讯问，并如实陈述出所有涉及那位戴夹鼻眼镜先生死亡的情况，之后由他们根据证据作出实际判决，以此协助警方实现上帝的意愿。陪审团一位女成员———一个带着眼镜的老太太，经营着一家糖果店，看上去她并不急于回到店铺去———所发表的言论经验尸官进行归纳之后，陪审团便离开法庭去查验尸体。帕克先生再次环顾了一遍法庭四周，发现满脸不高兴的西普斯先生和那个女孩格拉迪斯在警方的严密守护下被带进了旁边的一个房间里。他们身后很快就跟上一位头戴无边系带女帽、身披斗篷而面色憔悴的老女人。与她在一起的是寡居丹佛的公爵夫人。公爵夫人身着豪华皮毛外套，头戴引人注意的摩托式无边系带女帽。她用那双敏捷地迅速转动的黑眼睛不时在拥挤的人群中东张西望随后很快便将眼光落在了帕克先生的身上。帕克先生曾经几次拜访过那座寡居夫人的房子。她向他点了点头，随后与一名警员说起话来。不久，一条道路神奇般地从簇拥着的媒体记者中间开辟出来，而帕克先生也发现自己坐到了前排的一个座位上，就位于公爵夫人的身后。夫人热情地向他问好，浑身散发着独特的魅力，并且说："可怜的邦特出了什么事吗？"帕克对她窃窃私语说了几句，就在这时验尸官咳嗽了几声，然后再一次取出了菱形法锤。

"我们坐车赶到这里的。"公爵夫人说，"太乏味了——在丹佛与岗伯利·圣·沃尔特斯之间的那些路简直糟透了——而且还不时有人来吃午饭——我都不得不推托掉了——我不能让这样一位夫人单独出来，不对吗？顺便说一句，这种离奇的事情发生在教堂周围——那个维卡——哦，天啊，那些人又回来了。好吧，我以后再告诉你——好好看一看那个满脸惊恐的女人，还有那个穿花呢衣裳的姑娘，好像总在想方设法要表现出她生活的每一天都坐在那些脱光衣服的先生们身上一样——我的意思并不是指那具——当然是死尸——可是如今有人总认为自己是伊丽莎白那样的女人——那个验尸官是个多么可怕的小男人啊，对吗？他正怒目而视地盯着我——你认为他敢把我从法庭上清理出去或者你可能说出他会用什么理由来约束我吗？"

帕克先生对证据的头一部分并没多大兴趣。那个可怜的西普斯先生在关押期间患上了感冒，他用一种抑郁而嘶哑的声音宣誓作证说，自己八点去洗澡的时候发现了那具尸体。当时他吓呆了，不得不叫那个姑娘去取来白兰地酒。在此之前他从未见过尸体。他根本想不起来他是如何到那里的。

是的，在那天之前他曾经去过曼彻斯特。他是十点到达的圣·潘克拉斯，而且当时他用风衣盖着自己的包。说到这个环节时，西普斯的脸突然间涨得通红，一副抑郁而困惑的样子，而且还神色紧张地扫视了一下法庭四周。

"现在，西普斯先生，"验尸官干脆利索地说，"我们必须对你的一切行动了解的清清楚楚。你必须清醒地认识到事情的严重性。你已经选择了提供证据，这些证据不一定是你曾经做过的事情，但是已经做过的，你最好是把一切完整地描述出来。"

"好的。"西普斯先生含含糊糊地说。

"你是否曾提醒过这位证人，探长？"验尸官迅速转向萨格探长询问道。

探长回答他已经告诉西普斯先生他的一切言词在审讯中都可能不利于他。西普斯先生面色顿时变得灰白，他用微微颤抖的声音说他从来没有——从来都没有准备做任何违法的事情。

他的这番话引起法庭上一阵小小的骚动，而验尸官的态度比先前更尖刻了。

"有人代表西普斯先生吗？"他满脸怒气地问，"没有吗？你没有对他说明他可以——就是说应该有人代表他吗？你没有这样做吗？确实如此，探长！你难道不知道，西普斯先生，你有权获得法律赋予你的权利吗？"

西普斯紧紧抓住椅子的靠背以支撑住自己，说："不知道。"他的声音小得几乎无法听到。

"简直令人难以置信。"验尸官说，"那些所谓受过教育的人居然对本国的法律程序如此无知。这让我们陷入了一个十分可怕的境地。我要置疑的是，探长，我是否可以允许这名嫌犯——西普斯先生——提供一切证据。现在的形势相当微妙。"

汗珠从西普斯先生的额头上冒了出来。

"救救我们的朋友们吧。"公爵夫人对帕克小声说，"如果那个一直不断咳嗽着的畜牲公然指示那十四个人——他们都长着从来未经润饰过的脸庞，如此具有特色，我常常会觉得他们都来自低级的中等阶层，长得简直像绵羊，或者小牛犊一样的脑袋（我意思是都像煮开了一样）——最后得出结论，这个男人在一场随性的凶杀案中形势非常不利，他无法使自己显得更加清白。"

"您知道他无法让自己置身于刑事案之外。"帕克说。

"废话！"公爵夫人说，"如果他一生中从未干过任何事情，他怎么就不能让自己置身于刑事案件之外呢？你们男人从来就没想过任何事情，除了你们繁杂拖拉的公事程序。"

此时，西普斯先生不停用手帕擦拭着额头，而且也鼓足了勇气。他站起来，身上依旧还保持着微弱的尊严，可是神情却仿佛像一只陷入绝境之中的弱小白兔。

"我情愿向诸位告白，"他说，"虽然对于一个男人而言眼下我的处境是令人非常痛苦的。可是我的确无法想像自己会犯这样的死罪。我可以向你们发誓，诸位，我实在无法忍受这一切，根本就受不了。我情愿告诉你们真相，尽管我担心这样将令我处于一种相当——唉，我会向你们坦白的。"

"你完全可以理解做出以上陈述的重大作用，西普斯先生。"验尸官说。

"非常理解。"西普斯先生说，"没有关系——我——我能喝点水吗？"

"抓紧时间。"验尸官说着便以一种不耐烦的眼神扫了一眼手表，把西普斯想说的所有服罪的话都憋了回去。

"谢谢您，先生。"西普斯先生说，"好吧，那么我就说吧。我十点到达圣·潘克拉斯的确是事实。但是车厢里还有一个男人和我在一起。他是在雷塞斯特上的车。刚开始我并没有认出他来，可是后来才发现他竟然是我的一位老校友。"

"这位先生的名字叫什么？"验尸官问道，手里的铅笔悬了起来。

西普斯先生身体非常明显地蜷缩了起来。

"这，我恐怕不能告诉您。"他说，"您知道——就是说，您会看见——这样一来将会使他陷入麻烦之中，而且我也不能这样做——不，我的确不能这样做，更何况我的生命并不依赖于此。不！"他补充道，紧接着迸出一句让人听了感觉不祥的话来，"可以肯定我不能这样做。"

"是这样，是这样。"验尸官说。

公爵夫人的身体再一次向帕克靠近过来。"我开始欣赏起这个小男人了。"她说。

西普斯先生继续往下说。

"列车到达圣·潘克拉斯时我准备回家，可是我的朋友说不。我们已经很长时间没有见过面了，而且我们应该——一起痛痛快快地玩上一个晚上——这是他说的原话。我怀疑自己当时意志薄弱，于是便服从了他的劝说，陪着他去了一个他常去的地方。我只是尝试着选用了这样一个词，"西普斯先生说，"而且我可以向您保证，先生，如果我事先知道我们当时要去的是什么地方，我是永远都不会涉足那儿的。

"我拿风衣盖住了自己的包，因为他不愿意因此而产生受到牵累的念头，然后我们钻进一辆出租车，并来到了托滕汉宫廷大道和牛津大街的交叉角落。步行一段路程后我们便拐进旁边的一条辅路（我现在已经想不起来是哪一条辅路了）。那条辅路的一侧有一扇门敞开着，里面有灯光透射出来。里面的柜台边站着一个男人。我的朋友买了几张票，紧接着我便听到柜台前的那个男人对他说了一句大概意思是'你的朋友'之类的话，当然他是指我，而我的朋友则回答说：'哦，是的，他以前曾经来过这里，不是吗，阿尔夫？'（那是他们在学校时叫我的名字。）尽管如此我可以保证，先生，"说到此时，西普斯先生变得非常认真，"我从来就不曾去过那样的地方，而且这个世界也没有任何事情能够引诱我再到那种地方去了。

"后来，我们走进了地下的一间房子，里面放着几种酒，于是我的朋友便一一喝了点，而且他还让我也喝了一两种——尽管我一直就像规矩里说的那样是一个很有节制的男人——而且他还与房间里的其他几个男人和女孩子们聊了几句——都是一群乌合之众，我当时就对那些人有这种看法，虽然我没说出来，但是那些妙龄女郎中有几个的确看上去长得非常漂亮。其中的一个女孩坐在了我朋友的膝盖之上，还说他是一个动作迟缓的老东西，而且还要他加油，动作快一点——后来我们又走进了另外一个房间，里面有许多人在跳着全是些非常时尚而前卫的舞蹈。一个年轻的姑娘来到我的面前问我说难道我不想跳舞，而我回应道'不跳'，接着她又问我为什么不请她喝一杯。"那么，您就请我喝一杯吧，亲爱的。"她当时就是这样说的，而我回答说：'难道不能过几个小时以后吗？'而她却说没关系。于是我要了一瓶那种酒———一种杜松子药酒——因为我并没想不那么做，那个年轻姑娘看上去非常热切地期望着能从我身上得到那种酒，而我也觉得拒绝她的请求很没绅士风度。但是事实情况却违背了我的意志——她是那么年轻的一位姑娘——而且后来她把胳膊缠在了我的脖子上，接着又来亲吻我，就像在为那瓶酒付钱一样——所有的一切的确冲击着我的心灵。"西普斯先生说话的语气里含着些许的模棱两可，但是却也有着不同寻常的重点。

正说到这里，法庭后面有人说"干杯！"随后大家听到一阵仿佛像嘴唇咂嘴的嘈杂声。

"把那个制造这种极其不合时宜噪声的家伙轰出去。"验尸官说，表现出十分愤怒的样子。"请继续往下讲，西普斯先生。"

"后来，"西普斯先生说，"大约到了十二点半的时候，我应该承认，情况变得有些惊险，让人感到紧张，我开始到处寻找我的朋友准备向他说再见，而且不想再继续待下去了。这一点你们应该可以理解的。这时我看见他和一个年轻姑娘在一起，而且他们当时看上去似乎过于亲密了，如果你们能理解我所说的话的话我的朋友扯下她肩膀上的带子，而那个年轻姑娘却大笑不止——就是等等这样一些情况。"西普斯先生急急忙忙地说，"因此我认为自己应该静悄悄地溜出来，可就在这时我听到一阵混乱扭打的嘈杂喧闹声和一声大叫——还没有等我弄明白发生了什么情况，就冲进来五六个警员，紧接着所有的灯都熄灭了，所有人都开始到处乱窜，并且惊叫起来——当时的情景可怕极了，的确如此。在人群的冲撞中我被撞倒了，脑袋重重地撞在了一把椅子上——那正是他们曾经问过我的那处碰得青肿的地方——而且我当时担心得要命，认为自己永远都逃离不出去了，结局很可能就是这样，或许我的照片会出现在报纸上。这时有个人抓住了我——我现在觉得应该是那个让我买杜松子药酒的年轻姑娘。当时她说'走这边'，然后一路推着我进了一条过道，然后从后面的一个什么地方跑了出来。接着，我跑了几条街道，然后发现自己来到了古德奇大街之上，并在那里搭上一辆出租车，之后便回了家。后来我在报纸上看到了关于那次警方搜捕行动的详细报道，也了解到我的朋友也得以逃脱，就这些。由于这件事我并不想公之于众，而且我不想使他陷入困境当中，我只能什么也不说。但是那全是实话。"

"好吧，西普斯先生。"验尸官说，"我们能够证实你所说的情况中的大部分内容。你那位朋友的名字——"

"不！"西普斯先生毫不妥协地说，"不管任何原因我都不会说出来。"

"很好。"验尸官说，"现在，你能否告诉我们你是什么时间上床睡觉的？"

"大约是夜里 点半的时候，我想应该是这样。虽然有些眩晕，我还是觉得心烦意乱——"

"情况的确如此。你是直接上床睡觉的吗？"

"是的，我先吃了点三明治，喝了一杯牛奶。这么说吧，我认为那样可能会让我心里镇静下来。"证人补充道，话语里带着歉意的味道，"因为我不习惯夜里那么晚喝酒，而且还空着肚子，这一点你们或许也有同感。"

"的确如此。没有人为你熬夜守着你吗？"

"没有。"

"你从最初回到家到最后躺在床上用了多久时间？"

西普斯先生认为大概是半个小时。

"在上床以前你没有去过浴室吗？"

"没有。"

"那天夜里你没有听到任何动静吗？"

"没有听到。我很快就睡着了。因为心里感到非常不安，所以我服用了一定剂量的药以帮助自己睡眠，加上本身也感到非常疲惫，还有牛奶、药物，我简直可以说是倒下便沉沉睡了过去，直到格拉迪斯来叫我。"

再进一步的讯问也没有从西普斯先生那里获得什么证据。是的，浴室的窗户在他早晨走进浴室的时候是大敞着的，他可以对此予以肯定，而且他当时还对那个女孩非常苛刻地说到这一点；他随时准备回答任何问题；他将会感到简直太高兴了——为使这个可怕的事件细致地追查到底而感到高兴。

格拉迪斯·霍洛克斯受雇于西普斯先生已经三个月了。她的前几任雇主都能讲出她的性格特点。她的职责就是夜间对这套公寓里的房子进行巡视。十点的时候她会看着西普斯先生上床睡觉。是的，她记得星期一的晚上也是那么做的。她巡查了所有的房间。她记不记得那天夜晚关上了那间浴室的窗户呢？哦，不，她无法发誓这么说，至少她不能特别确定地说出来，可是那天早晨西普斯先生把她叫进浴室的时候，那扇窗户的确肯定是开着的。在西普斯先生走进浴室以前她没有去过浴室，唉，是的，事情就是这样凑巧，那天在她离开之前那扇窗户一直敞开着。于是有人在傍晚时分到那里洗过一次澡。星期一是她进行常规洗浴并实施夜巡视的一天。她非常担心星期一的夜间没有关好窗户，尽管她祈求在她如此健忘以前砍下她的脑袋来。

说到这里，证人伤心地痛哭了起来。有人给她送来一些水，而验尸官则让自己第三次重新拿起了菱形法锤。

稍作恢复之后，该证人强调说自己在上床睡觉以前肯定巡视过所有的房间。不，根本不可能有人藏在那套公寓房子里而她却没有发现。那天傍晚她一直在厨房里待着，而厨房里几乎没有地方能提供最好的晚餐服务，因而只能留下孤孤单单的一个人。西普斯老夫人当时坐在餐厅里。是的，她能肯定她一直在餐厅里。怎么能肯定呢？因为她曾把西普斯先生的牛奶和三明治准备在那里了。当时餐厅里什么也没有——对于这一点她可以发誓肯定。她自己的卧室里也是这样，大厅里也是。她是否巡查过卧室橱柜和邮件收发室呢？哦，不，不能说巡查过，她并不习惯每天晚上到人们的房间里去搜寻骷髅鬼怪什么的。那么有人会隐藏在邮件收发室或者是在一个衣柜里面吗？她想如果真的有人，他可能会这么做。

在回答陪审团一名女成员的问题时——唉，是的，她当时的确与一名年轻男子外出了。那个男人名叫威廉姆斯，就是比尔·威廉姆斯——哦，是的，威廉·威廉姆斯，如果他们一定要坚持的话。他的职业是一名玻璃安装工。哦，对了，他有时候会到那套公寓里来。还有她认为他们可能会说他对那套公寓的情况十分熟悉。如果她曾经——不，她从来就没有，而且如果她早想到这样一个问题将要提问到一个令人尊敬的女孩，她是不会竭力站出来提供证词的。圣·玛丽作为代表能够说出她的性格特点，也能说出威廉姆斯先生的性格特点。威廉姆斯先生最后一次到公寓里来是两个星期以前。

哦，不，确切地说那不是她最后一次见到威廉姆斯先生。对，是的，最后一次是星期一——对，是的，星期一夜里。唉，如果她应该说实话，她就必须说出来。是的，警官已经警告过她，可是话里却没有任何威慑伤害的地方，让她丢掉自己的工作总比让她接受绞刑要好得多。如果一具令人作呕的尸体经过窗子跑进房子里让她遭遇到如此险恶的困境，作为一个女孩子怎么可能会感到一点快慰呢，尽管那的确应该算是一种残酷的羞耻。把西普斯先生照顾好上床睡觉以后，她便悄悄溜出公寓去参加在"黑面孔白羊座"举办的管道工舞会和玻璃安装工舞会。威廉姆斯先生遇到了她，而且还把她送了回来。他能证实她曾经去过什么地方，而且这种做法并没有任何害处。她是舞会结束以前离开的。她回到公寓时大约是夜里两点。在西普斯老夫人不注意的时候，她曾从西普斯老夫人的抽屉里拿走了公寓的钥匙。她曾经提出要请假出去，可是却并没有获得批准，原因在于西普斯先生那天夜里不在家。她为自己所采取的行动感到极其懊悔和遗憾，而且她也深信自己也已经为自己所犯的过错受到了惩罚。走进公寓的时候她并没有听到丝毫可疑的动静。她也根本没有对公寓进行巡视检查就径直上床睡觉了。她希望她当时死掉了。

不，西普斯先生和老夫人并非几乎没有任何来登门拜访的朋友，而那些人总是令他们感到非常的疲惫不堪。那天早晨，她还发现外面的大门与平时一样插上了插销。她坚信西普斯先生决不会干任何伤天害理的事情。

"谢谢你，霍洛克斯小姐。传乔治亚·西普斯。"此时验尸官提出最好把煤气取暖炉点上。

西普斯老夫人的证词与其说给人以启发，倒不如说是给人提供了一大堆笑料，她的整个作证过程就像是展开了一次可以称之为"盘问与迂回作答"的游戏示范。经过十五分钟痛苦的折磨，验尸官不仅从声音上而且也从脾气上最终放弃了艰苦的斗争，只留下了这位女士的最后一句话。

"不必再有什么企图来威吓我，年轻人。"这位年龄将近九十岁高龄的老夫人精神亢奋地说，"老老实实呆着用恶心的枣酱来填饱自己的肚子吧。"

正在此时，一名年轻男子在法庭上站起身来，并大声宣布说要作证。经说明情况才弄清楚他就是先前提到的那名玻璃安装工，他发誓并进一步证实那个星期一的夜间格拉迪斯·霍洛克斯的确参加了在"黑面孔白羊座"举办的活动这样一个事实。他认为他们在两点还差相当长一段时间就回到了公寓，但是肯定是在一点三十分之后。他很后悔在霍洛克斯小姐不应该外出的时候说服她与他从公寓出来。他说每次在威尔士亲王大街从来就没有发现过任何一点可疑的地方。

　　萨格探长作证说自己曾于星期二早上大约八点半的时候被叫到了公寓里。他曾认为那个姑娘的行为方式值得怀疑，因此逮捕了她。可是自从收到后来的情报，他又怀疑起死者有可能是那天夜里被杀，他便又逮捕了西普斯。他没有发现任何有人闯入公寓的蛛丝马迹。浴室窗户的窗台上有一些印记表明有人是从那里溜进了公寓。没有一点梯子的印记，院子里也没有一点脚印，而院子里铺的都是柏油路面。他也曾查验过房顶，可是在房顶上也没有找到任何东西。他的意见认为，尸体事先由某个已经外出的人搬进公寓并一直藏匿到傍晚时分，由于那个姑娘的纵容，此人在夜间又从浴室的窗户潜入公寓。在那种情况下，姑娘为什么不让这个人从门口出去呢？哦，情况有可能如此。他是否已经发现了尸体的痕迹，还是一名男子的痕迹，或者是两者都已经藏匿在公寓里了呢？他没有找到任何能够证明上述两者都不可能以那种方式躲藏的证据。他认为命案出现在那天夜间的证据是什么呢？

　　说到这一点，萨格探长显得有些不自在了，可是却竭力想维持自己的职业尊严。然而迫于压力，他还得承认调查中的证词得不出任何结论。

　　萨格探长："看来他像个老手，先生。"

　　先前提问的陪审团成员："那与对艾尔弗雷德·西普斯的指控关系密切吗，探长？"

　　探长一言不发。

　　验尸官："根据您已获悉的这些证词，您是否依然还是指控艾尔弗雷德·西普斯和格拉迪斯·霍洛克斯呢？"萨格探长："西普斯所说的事并没有经过证实，至于那个姑娘霍洛克斯，我们怎么知道这位威廉姆斯没有同样卷入到其中呢？"

威廉·威廉姆斯："好吧，您已经做出了这样的结论。我能领来一百位证人——"

验尸官："肃静，请大家肃静。我感到非常惊讶，探长，您会用那种方式得出这样的结论。显然这种做法是极其不合时宜的。顺便问一句，您能告诉我们那个星期一夜间在圣·吉尔斯圆形广场街区的某个夜总会真的有警方的一次紧急搜查吗？"

萨格探长（绷着脸）："我相信的确有类似情况发生。"

验尸官："毫无疑问，您将对此事进行调查。我似乎也想起来报纸上曾经对此事进行过报道。谢谢您，探长，就这些。"

又有几位证人相继出庭，并对西普斯先生和格拉迪斯·霍洛克斯的性格特点进行了证实，接着验尸官宣布随后准备进行医学证据的收集。

"朱利安·弗雷克爵士。"

当这位杰出的专家走上前作证时，法庭里出现了一阵骚动，他不但是个高贵的人，而且形象也非常引人注意，宽大的肩膀，腰板笔直地站立着，还长着一个狮子一般的脑袋。他在亲吻《圣经》时的举动展现出风采却引来验尸官不满的嘟囔，就像圣·保罗屈尊迁就迷信的科林斯人时所发表的胆怯、畏惧之辞。

"太帅了，我一直这样认为，"公爵夫人低声对帕克先生说，"简直就像是威廉姆·莫里斯，一头浓密的头发和胡须，还有那双能看透一切而令人激动不已的眼睛——多么光彩照人，这些可人的男人们总是潜心投入到什么事情当中或者别的什么——除了我常认为社会主义是一种错误那样的思想——当然，这种想法总是和一切出色的人联系在一起会发生作用。从艺术的角度而言简直是太棒了，也太令人开心了，而且天气总是那么美妙——莫里斯，我的意思是，您知道——可是在现实生活中就大不一样了。科学总是与显示出的大相径庭——我敢肯定，如果我有足够勇气，我会直接走到朱利安·弗雷克面前直愣愣地盯住他看——那双眼睛看上去就像要引人深思，而且那种眼神也是绝大多数人想要得到的，只是我从来没有一点——勇气，我是说。难道您不这样认为吗？"

"您就是朱利安·弗雷克爵士，"验尸官说，"家住圣·卢克公寓楼威尔士亲王大街，就位于巴特西一带，那里紧邻着您经常出入的圣·卢克医院外科诊室一侧，对吗？"

朱利安爵士对关于他个人情况的介绍简洁地表示了认同。

"您是第一位见到死者的医务人员吗？"

"是的。"

"而且从那时起您一直在进行一项调查，而此调查与苏格兰场的大夫们所开展的调查工作是一致的，是吗？"

"是的。"

"您同意他们得出的这种死亡原因吗？"

"总体上说，是这样。"

"您是否愿意向陪审团说出您当时的印象呢？"

"星期一上午大约九点的时候，我当时在圣·卢克医院的解剖室潜心进行着研究，这时有人通知我说萨格探长希望能见到我。他对我说卡罗琳皇后公寓五十九号在神秘的气氛之中发现了一具男人的尸体，他问我是否可以假设是医院临床系的学生突发奇想开的玩笑。我当时非常确定地告诉他，经对医院记录本进行检查，证明记录里没有从解剖室里丢失东西的内容。"

"谁会负责这些尸体呢？"

"威廉姆·沃茨，解剖室管理员。"

"威廉姆·沃茨是否当庭作证？"验尸官大声讯问道。

威廉姆·沃茨站了出来，如果验尸官认为必要，他是可以被传唤到庭的。

"我想，未经您的许可，没有一具死尸能送进医院，是吗，朱利安爵士？"

"当然不能。"

"谢谢您。请您继续描述一下当时的情况好吗？"

"萨格探长于是问我是否能派一名医务人员过去检查一下那具尸体，我说我会亲自去的。"

"您为什么那么做？"

"我承认是想满足普通人的好奇心而已，验尸官先生。"

坐在法庭后面的一名医学院的学生笑出声来。

"我一到公寓便发现死者仰面躺在浴缸里。我对他进行了检查，而且得出结论认为：死亡是由于颈后部受到重击造成第四与第五节颈椎骨脱臼，致使脊椎受伤进而造成内出血和部分大脑麻痹。据本人判断死者至少死亡十二小时，而且可能时间更长一些。我还注意到尸体身上没有其他任何遭到暴力的痕迹。死者年龄大约在五十到五十五岁之间，是一个身体强壮、保养得很好的男人。"

"依您的意见，重击是否有可能是死者本人造成的伤害呢？"

"当然不是。重击是由于一个沉重的钝器从后方打来而产生，而且力量非常大，判断也相当准确，所以根本不可能是自己造成的伤害。"

"那么是否有可能是一场意外事故的结果呢？"

"那是可能存在的，当然。"

"如果，例如，死者当时正在向窗户外张望，而他身体上方的窗框突然猛地掉下来呢？"

"不，如果是那种情况就会有一点扼死的痕迹，而且他的喉咙部位也会有青紫色的肿胀。"

"但是死者有可能是因为意外砸落在他身上的重量而死亡的吗？"

"他有可能是这样。"

"根据您的意见，这么说死者立刻就毙命了吗？"

"这很难说。这样一种重击非常有可能导致受害者立即毙命，也可能的情况是病人在一段时间之内能苟延于半昏迷状态之中。就目前的情况来看，我应该能果断地认定死者可能在死前拖延了一段时间。我之所以作出这种决定，原因的基础在于尸体解剖时死者脑部反应的情况，可是，我能说格林姆波尔德大夫和我在这一点上并非意见完全一致。"

"我理解，对于对死者的辨别而言，应该提出一种意见。您并非站在辨别死者的立场上，对吗？"

"当然不是。我以前从未见过他。您所提到的意见是很荒谬、很反常的，而且此前这个意见也从未被人提到过。直到今天早晨我才意识到存在这样一个意见，如果早点对我提出这样的意见，我也可能已经知道应该怎样来处理，而且我也愿意就自己有幸认识的一位女士居然受到完全意外的打击和压力表达出自己的强烈不满。"

验尸官说："那并非本人的过错，朱利安爵士，我与此事毫不相关。您的意见能获得理解的是您事先未曾了解有关情况是很不幸的。"

各大报纸的记者们忙着飞快而潦草地在纸上记录着法庭双方互相盘问彼此都有些什么意见，而陪审团的一个个成员们则竭力表现出他们已经了解了一切的样子。

"现在来看死者尸体身上发现的那副眼镜。朱利安爵士，这副眼镜对一名医务人员而言意味着什么呢？"

"眼镜的镜片从某种程度上来说有其非同寻常之处，眼科大夫应该能讲得更准确一些，但是我要为自己所说的就是，我认为这副眼镜应该是属于比死者更年长一些的男人，而并非这名死者。"

"作为外科大夫应该有很多机会观察到人的躯体，您是否能从死者的外形总结出他的一些个人爱好呢？"

"应该说此人一直生活在宽松而悠闲的环境之中，可是他也可能只是在最近一段时间才发了财。他嘴里的牙齿情况很糟，而且他的双手也反映出此人近来从事过体力劳动的痕迹。"

"一名澳大利亚殖民主义者，比如说，他已经赚到钱了吗？"

"也就是类似于此的情况吧，当然我不能十分肯定地说。"

"当然不能。谢谢您，朱利安爵士。"

格林姆波尔德大夫接着也受到传唤，从每一个特殊之处进一步证实了他这位杰出的同事所作的证词，除了一点情况，那就是，依据他的意见，死亡应该出现在遭到重击几天之后。他是经过了很长时间的犹豫才冒险做出与朱利安·弗雷克意见不同的结论，而且他也有可能是错的。无论如何，很难说出是哪种情况，而他看见尸体的时候，死者至少已经死亡二十四小时了，他是这样考虑的。

萨格探长再一次受到传唤。他非常主动地告诉陪审团他曾采用怎样的步骤对死者进行辨认。

关于案情的介绍被迅速传送到每一个警务所，而且也在所有的报纸上进行了报道。鉴于朱利安·弗雷克爵士所提出的建议，调查也在所有的海港进行着吗？情况的确如此。没有得到任何结果吗？无论如何，没有得到任何结果。难道没有人前来对死者的尸体进行辨认吗？有不少人来过，可是却没有一个人成功地达到目的。是否应该顺着那副眼镜所反映的线索继续进行调查呢？萨格探长提出，考虑到公正利益所在，他请求回避那样的问题。陪审团可能看见那副眼镜吗？那副眼镜早就呈递到陪审团面前了。

威廉姆·沃茨接受了传唤，并就解剖室里的解剖用尸体的情况对朱利安·弗雷克的证词进行了确认。他对尸体是如何进入解剖室等一系列情况进行了说明。尸体通常都是由济贫院和公立医院提供的。所有的解剖用尸体都由他单独负责。其他年轻的先生们不可能拿到钥匙。朱利安·弗雷克，或者解剖室里的其他外科大夫都有钥匙吗？不，甚至连朱利安·弗雷克爵士本人也没有。星期一夜间那些钥匙全部在他手中吗？所有的钥匙当时全在他手里。而且，无论如何，调查并不切题，因为没有尸体失踪，也不曾有尸体失踪，对吗？案情就是如此。

验尸官随后郑重地向陪审团申明，并以严厉的语气提醒陪审团成员注意，他们到庭并非就死者究竟是谁不是谁而闲聊的，而应该就死亡的原因拿出意见来。他还提醒他们应根据医学证据，考虑死亡是否因意外造成还是死者自己造成，考虑是否可能是蓄意谋杀还是自杀。如果就此证据不足，他们就应该回到公开裁决这一程序之上。无论如何，他们的裁决不能对任何人有偏见。如果他们得出结论为"谋杀"，在地方法官面前，所有证词证据都必须全都重新调查一遍。之后，他用并非恳求的语气迅速让陪审团成员退庭。

朱利安·弗雷克爵士在做完证词之后，正好看到了公爵夫人关注他的眼神，于是便走过去向她问候。

"我都已经一年没见到您了。"夫人说，"您好吗？"

"工作很辛苦。"这位专家说，"刚刚出版了一本新书。这种事情很浪费时间。可是您见到利维夫人了吗？"

"没有呢，可怜的人。"公爵夫人说，"我只是今天早晨才见到她，就因为这个案子。西普斯夫人一直和我在一起——彼得的古怪举动之一，这您是知道的，可怜的基督徒！我必须过去看看她。这位是帕克先生，"她补充道，"他也正调查此案。"

"哦。"朱利安爵士说着停顿了片刻，"您是否知道，"他压低声音对帕克说，"我为能见到您感到非常高兴。可是您见过利维夫人了吗？"

"今天早晨我见过她。"

"她是否问过您参加这场调查吗？"

"是的。"帕克说，"她认为，"紧接着又补充道，"鲁本爵士可能被扣留在某些金融对手的手中，也可能有一些流氓恶棍正掌控着他准备进行敲诈。"

"那么您是如此认为的吗？"朱利安爵士问。

"我认为情况很可能如此。"帕克坦率地说。

朱利安爵士再次犹豫了片刻。

"我希望调查结束时您能和我一起步行回去。"他说。

"我会感到非常开心的。"帕克说。

正在此时，陪审团成员又一一回到各自的座位上就座，法庭上传出一阵沙沙声，随后又沉寂下来。验尸官对陪审团发言人郑重发表了申明，并询问他们是否已对裁决达成一致意见。

"我们一致同意，验尸官先生，死者死于颈部脊椎受到重击，但就损伤是如何造成的我们认为没有足够证据可以说明。"

帕克先生与朱利安爵士一同向公路北边走去。

"直到今天上午看见利维夫人的时候，我还根本没有想到过任何念头。"大夫说，"根本没想到鲁本爵士的失踪会与本案发生关联。这样的提议根本就令人感到可笑之极，而且也只可能在那个荒唐愚蠢的警官脑海里才会滋生出来。如果我早想到他脑子里想的东西，我一定要纠正他，而且避免所有这一切。"

"我尽了自己最大的努力，"帕克说，"一接到通知便参与到利维这个案件中——"

"谁通知您参与进来的，我可以问一问吗？"朱利安爵士询问道。

"哦，首先是户主，然后是鲁本爵士的叔叔。波兹曼广场的利维先生给我写信要对此案进行调查。"

"而且现在利维夫人也对那些事实情况进行了确认，对吗？"

"当然。"帕克感到有些惊讶地说。

朱利安爵士沉默不语了好一阵儿。

"恐怕我是第一个向萨格脑子里灌输这种念头的人。"帕克非常懊悔地说，"鲁本爵士失踪的时候，我所采取的方案第一步几乎就是搜索一切街道事故和自杀事件以及一切发生在那天的事情，接着我又按常规去看了看巴特西家园的这具尸体。当然，我一到那里便立刻明白案情简直太可笑了，可是萨格却坚定地认为就是如此——而且事实的确是在死者与我所见过的鲁本爵士的肖像之间有许多相似之处。"

"表面上看非常像。"朱利安爵士说，"脸的上部是很平常的样子，而且由于鲁本爵士蓄着浓密的胡须，因此也没有机会可以把两者之间的嘴和下巴进行比较，那样的念头出现在任何人脑海之中我认为都是可以理解的。但是应该立刻打消这样的念头。我很遗憾，"他补充道，"因为整个事件对利维夫人来说都是非常痛苦的。您或许知道，帕克先生，我是利维家的老朋友，尽管我不能把自己称之为他们家的亲密朋友之一。"

"我能理解您的感受。"

"是的。我还年轻的时候，我——简而言之，帕克先生，我曾希望有朝一日能与现在的利维夫人结婚。"（帕克先生听闻此言情不自禁地发出平常那种同情的叹息。）"我从未结过婚，这一点您是知道的。"朱利安爵士继续说，"我们一直是好朋友。我也一直在尽自己所能去分担她的痛苦。"

"相信我吧，朱利安爵士，"帕克说，"我对您，而且也对利维夫人抱有深切的同情，而且我也已经尽了一切努力去制止和纠正萨格探长的这种想法。不幸的是，鲁本先生那天傍晚碰巧在巴特西家园路被人看见了。"

"啊，是的，"朱利安爵士说，"天啊，我们这就到家了。或许您愿意进来坐坐，帕克先生，喝点茶或者来点加苏打的威士忌还是别的什么。"

帕克感觉到还有一些情况要谈，于是便爽快地接受了邀请。

两个男人于是走进一个宽敞的大厅，只见里面摆设着精美的家具，而在门的同一侧是一只壁炉，壁炉的对面就是楼梯。在他们的右边是餐厅，此时餐厅的门敞开着。朱利安爵士刚一摁响铃，一名男侍从便立即出现在大厅远处的尽头。

"您想来点什么？"大夫问。

"刚离开那个冷得要命的地方，"帕克说，"我的确想喝几加仑热茶，如果您，作为一名神经方面的专家，能够容忍这样的想法。"

"如果您明智地允许加入一些中国茶的话，"朱利安爵士用同样的口吻回应道，"我绝无反对意见。马上把茶送到书房里来。"他对侍从补充道，接着便率先在前面领路上了楼。

"我并不常用楼下的房间，除了餐厅以外。"他解释着，一边将客人领进了二楼的一间房子，这是一间不大但却让人感到非常舒心的书房。"从这个房间出去便是我的卧室，而且也更方便一些。我只有部分时间住在这里，因为住在医院对我的研究工作十分便利。那也是我在医院绝大部分时间要干的事情。对于理论学家而言，那是一件致命的事情，帕克先生，要让实践工作落后。解剖学是一切完美理论和所有正确诊断的基础。人必须保持自己的手和眼一直处于训练之中。这个地方对我来说远比哈里大道要重要得多，而且总有一天我会彻底放弃我所有的诊查实践，然后安顿在这里一步步解剖我的这些尸体，并在平静淡泊的状态之中进行写作。生命中有许多事情都是对时间的浪费，帕克先生。"

帕克先生对这番话表示了赞同。

"经常是这样，"朱利安爵士说，"我唯一可以进行研究工作的时间——研究工作开展时必须是观察力最细致而且各器官功能最敏锐的时候——不得不在夜间，经过一整天漫长的工作，然后借助人造灯光。由于解剖室里的灯光非常耀眼，灯光对于眼睛来说也总是比日光更刺眼一些。毫无疑问，您本人的工作也常常不得不在比这里甚至更艰难的环境中进行。"

"是的，有时候是这样。"帕克说，"不过您知道，"他补充道，"这样说吧，环境常常是工作的一个部分。"

"的确如此，的确如此，"约翰爵士说，"您的意思是指夜盗，比如说，并不会在光天化日之下施展他的技能，也不会在一片潮湿的沙地里留下完整清晰的足迹方便你去进行分析。"

"作为常规而言不会，"侦探说，"不过我从未怀疑过您的许多疾病会像所有夜盗那样阴险狡诈。"

"他们就是阴险，他们就是阴险。"朱利安爵士说着大笑了起来，"所以这正是我的得意之处，就像那是您的得意之处一样，为了社会的利益除掉他们。那些神经病，您知道，是特别聪明的罪犯——他们总是尽可能频繁地乔装打扮闯入，就像——"

"就像是哑剧大师利昂·凯斯特里尔一样。"帕克提示道，他曾看过抓拿铁路扒手侦探故事里关于公共汽车驾驶员假日的规定。

"毫无疑问，"朱利安爵士却并没看过那样的规定，他说，"而且他们非常巧妙地掩饰着自己的伎俩。可是一旦你真正调查起来，帕克先生，而且对死人进行分解，或者拿着解剖刀在活着的躯体上找参考情况，您总是能发现一些痕迹——因发疯或是疾病或是饮酒或是其他任何类似的害人虫所留下的毁灭或者混乱的蛛丝马迹。但是困难在于要追踪他们却仅仅只能靠观察到一些表面的症状——歇斯底里、罪行、宗教信仰、恐惧、羞涩、良知，或者说一切可能的东西，正如观察一名小偷或是一个杀人犯，而且要寻找犯罪的痕迹那样，因此我观察了一下歇斯底里病情的发展或者说是一种虔诚心理状态的发作，而且想探寻到产生这种效用的微小机械性刺激。"

"您把这些事情都视为纯属自然的吗？"

"无可置疑。我并非忽视另一学术思潮的高涨，帕克先生，可是其理论的倡导者绝大多数是假充内行的骗子或者是自欺欺人者。就如同培养基是淤泥料酒一样，他们于是开始相信自己的胡言乱语。我很想剖析他们的大脑，帕克先生，我会向您显现出他们脑细胞里的小毛病或者缺陷——神经无法发挥作用或者短路，这样的情况便让我产生出这样一些想法和这样一些书来。至少，"他补充道，眼睛神情严肃地盯住他的客人，"至少，如果我今天不能很好地展示给您，我明天也能这么做——或者用一年的时间——或者在我死以前。"

他坐在那里，眼睛盯着炉火，呆呆得愣了好一会儿，而红色的火光照射在他黄褐色的胡须上，并从他那双咄咄逼人的眼睛里反射出仿佛是对他那种眼神应答一般的光芒。

帕克默默地喝着茶，并且注视着他。可是，总的说来，他对神经现象方面的原因并不感兴趣。于是他的思绪游离到彼得勋爵那里，他会怎样在萨利斯布里设法对付那个令人敬畏的克里姆普尔汉。彼得勋爵早就想让他过去，那就意味着，要么克里姆普尔汉正在被证明是难以对付的，要么就是一条线索随后将出现。可是邦特说过到明天也可以，而且那时会更好一些。毕竟，巴特西案件并非帕克的案子，他已经浪费宝贵的时间参加了一次得不出任何结论的询问调查，而且他的确应该开始他本来的合理合法工作了。还有利维的秘书要去探望，而且佩鲁维安石油股票事件还要进行调查。他看了看手表。

"我很遗憾——如果允许失陪的话——"他低声说。

朱利安爵士又重新回到了现实中来。

"您的工作急着需要您离开吗？"他说着笑了笑，"好吧，我完全可以理解。我不会强留您的，可是我想要对您说些与目前正在进行调查着的事情相关的东西——我几乎不知道——我几乎不想——"

帕克再次坐了下来，他的脸上和态度上所有急于离开的神情一下子消失得毫无踪影。

"如果您能给我一些帮助的话，我会不胜感激的。"他说。

"我担心这比阻碍的本性更有甚之。"朱利安爵士说，很快大笑了起来。"对您而言，这是对线索的破坏，就我这方而言却是职业机密的出卖。可是既然——偶然之极——相当一部分已经暴露出来，或许整个情况最好这样处理。"

帕克先生鼓励了几句，在外行人当中，这番话无疑像提供了神父一般暗示的空间。"是的，我的孩子，怎么了？"

"鲁本·利维爵士星期一夜间来找我了。"朱利安爵士说。

"是吗？"帕克先生说，脸上没有任何表情。

"他发现了涉及他健康的一些严重可疑的毛病的原因。"朱利安爵士缓缓地说，仿佛他还在掂量他应该虔诚地向一位陌生人透露多少情况。"他来找我，而且比对他自己的医生更信赖，因为他非常着急，不愿意有些情况让他夫人知道。我告诉过您，他和我关系非常熟悉，而且利维夫人夏天的时候也曾向我咨询过神经错乱方面的问题。"

"他和您预约过吗？"帕克问。

"请再说一遍。"对方心不在焉地说。

"他是否预约过？"

"预约？哦，不。那天晚餐过后，他突然出现在我面前，当时我根本没想到会见他。我把他带到这里并对他进行了检查。他大约是十点离开我家的，我想。"

"我是否可以问一下您检查的结果呢？"

"您为什么想知道？"

"那有可能会给人一些启发——比如说，猜测出他后来的举动。"帕克小心翼翼地说。这个过程看起来与事件的其余情况没有太大关联，因此他想弄清楚事情怎么会那么巧合在鲁本爵士失踪的当天拜访过这位医生。

"我知道，"朱利安爵士说，"是的。好吧，我愿意向您透露的秘密就是当时发现了严重疑惑的原因，可是尽管如此，还不能肯定地判断病因。"

"谢谢您。鲁本爵士是十点离开您家的吗？"

"在那之后或者大约就是那个时间前后。刚开始的时候我没有提到这件事是由于鲁本爵士曾强烈地要求我保守秘密，而且当时大街上也没有任何事故或者那种类似的事情，因而他半夜时分平安地回到了家里。"

"事实正是如此吧。"帕克说。

"或许这是，而且也的确是对机密事件的背叛。"朱利安爵士说，"但是我现在只能告诉您，因为鲁本爵士碰巧被别人看见了，而且也因为我情愿私下里告诉您，可我还是不愿意让您在此到处搜寻并盘问我的仆人们，帕克先生。您会原谅我的坦率的。"

"当然。"帕克说，"我对自己的职业从来都喜欢不厌其详，朱利安爵士。我非常感激您能告诉我这些，否则我可能会为追查一个虚假的踪迹而浪费宝贵的时间。"

"可以肯定不需要我来请求您，站在您的立场上，来保守这个秘密。"大夫说，"将此事公之于众只会伤害到鲁本爵士和他的夫人，除了把我置身于对病人不利的灯光之下以外。"

"我保证此事仅我本人知情。"帕克说，"当然除了，"他急忙补充道，"我必须通报我的拍档以外。"

"您在此案当中还有一位拍档吗？"

"是的。"

"他是一个什么样的人？"

"他将会非常谨慎的，朱利安爵士。"

"他是一名警官吗？"

"您不必担心您的秘密会进入到苏格兰场的记录之中。"

"我知道您很清楚如何做到谨慎从事的，帕克先生。"

"我们也有我们的职业规范，朱利安爵士。"

一回到奥蒙德大街，帕克先生便发现有消息正等着他呢，只见上面说："不必烦劳过来。一切顺利。明日返程。温姆西。"

第 七 章

　　在巴尔汉和维多利亚车站周边地区经过一些确实调查之后，第二天上午饭前刚回到公寓的彼得爵士便在门口受到了邦特先生的迎接与问候（邦特先生早从滑铁卢直接回了家），当时邦特还带了一份电话口信，而且还用一种严肃却像保姆般的眼神注视着他。

　　"斯沃夫汉姆夫人给我打了电话，爵爷，而且说好希望尊贵的爵爷还不曾忘记您将与她共进午餐。"

　　"我早已经忘掉了，邦特，而且我的意思就是要忘掉。我相信你对她说我不得不屈服于突发性的脑炎，恳求不用送花了。"

　　"斯沃夫汉姆夫人说，爵爷，她一直在等您。她昨天还见了丹佛的公爵夫人——"

　　"如果我嫂子在那里，我就不会去，那很无聊。"彼得爵士说。

　　"请原谅，爵爷，是多韦杰公爵夫人。"

　　"她到城里来干什么？"

"我猜想她是专门为询问调查而来的，爵爷。"

"哦，是的——我们错过了那场调查，邦特。"

"是的，爵爷。她此时正与斯沃夫汉姆夫人共进午餐。"

"邦特，我不能去，我不能去，真的。就说我正躺在床上哮喘咳嗽，还有就是午饭以后把我的母亲叫过来。"

"很好，爵爷，汤米·弗雷利夫人会到斯沃夫汉姆夫人的家里去，爵爷，而且米利根先生——"

"哪位先生？"

"约翰·P·米利根先生，爵爷，而且——"

"上帝，邦特，你为什么在这之前早不说呢？在他到达以前我还有时间到那里吗？好的，我马上去。搭上一辆出租车，我就能——"

"不是穿那条裤子，爵爷。"邦特说着以一种恭敬的坚定挡在了通往门口的路中间。

"哦，邦特，就让我——就这一次。你不明白到底有多么重要必须这样做的。"

"没有任何理由，爵爷。那将会与我现在的位置一样是值得的。"

"裤子没问题，邦特。"

"去斯沃夫汉姆夫人家不行，爵爷。除此以外，爵爷，您忘了在萨利斯布里带着牛奶罐子撞见您的那个男人。"

于是邦特似乎责备一般伸出一只手指，指了指浅色的布料上一个轻微的油污点。

"我向上帝发誓，希望你永远不会变成一名享有特权的家庭侍从，邦特。"彼得爵士刻薄地说，并用手杖敲击着衣帽架子。"你根本就没有意识到我母亲可能会犯怎样的错误。"

邦特毫不屈服地笑着让他的牺牲者走开了。

当浑身一尘不染的彼得走进房间的时候，对于午餐时间而言此时已经迟到很久了。走进斯沃夫汉姆夫人的客厅，丹佛寡居的公爵夫人正坐在沙发上，沉溺于与来自芝加哥的约翰·P·米利根的亲密交谈之中。

"非常高兴见到您，公爵夫人，"这位金融家的开场白是这样的，"非常感谢您仁慈的邀请。我敢向您保证这是我极其喜欢的一种问候。"

公爵夫人对他微笑着，同时调动起她大脑里所有的智慧。

"快来坐下和我说说话，米利根先生。"她说，"我就是非常愿意与您这样杰出的生意人交谈——让我瞧瞧，您是一位铁路之王或者是类似于抢壁角游戏之类的事情——至少，确切地说我并非那个意思，而是说人们过去常用牌来做游戏，全部是关于小麦与燕麦，而且还有公牛和熊——或者说那是一匹马吗？——不，一头熊，因为我记得人们总是不得不竭尽全力要除掉它，而这头熊也常常会变得快要崩溃和神经分裂一样可怕，可怜的家伙，总是被到处支配，有人刚一认出它来，就有人买下一个新设备——简直太愚昧了，而且还发出可怕的噪音，可是与那些彼此并不相识却又固执的人一起相处，却能破除彼此之间的心理冰层，直到的确非常出色的——我对这种情况的消失感到非常遗憾。"

米利根先生坐了下来。

"哦，是这样，"他说，"我猜想对于我们生意人来说遇到英国贵族就像英国人遇到了美国铁路之王一样非常有趣，公爵夫人。而且我还猜测到，如果我像您这样交谈，一定会出现很多错误，那种情形就如同您如果想操纵芝加哥小麦市场的一个角落也肯定会犯很多错误一样。现在想象一下吧，有一天我叫住您那位体面而儒雅的温姆西勋爵，而他却认为我误把他当成了他的兄弟。当时的情形就会让我感到非常幼稚、尴尬。"

这可是从未料到的一记重拳，于是公爵夫人只得顺从地小心翼翼继续聊下去。

"亲爱的小伙子，"她说"您能见到他真是太令人高兴了，米利根先生。我的两个儿子对我来说都是极大的安慰，您知道，尽管，当然，杰拉尔德更传统而保守一些——可是却很适合上议院，您知道，而且还是一位出色的农场主。我不知道彼得中途来丹佛，尽管他在城里办所有的事都还顺利，而且有时候还非常有意思，可怜的伙计。"

"我对彼得勋爵的提议感到非常高兴。"米利根继续说，"我知道您将为这种提议负责。而且我肯定会在您高兴的任何一天欣然前往，尽管我认为您可能是在恭维我。"

"啊，是这样，"公爵夫人说，"我不知道您在处理此事方面是否是最好的裁判，米利根先生。据我所知，生意上的情况并非如此，"她补充道，"对于现在的情形而言，我已经相当落伍了，您知道，而且我不能装模作样去做更多事，而只能在看见一位不错的先生时过去结识他。对于其他的事情我得依靠我的儿子。"

这一段谈话的气氛听起来令人感到愉快而满意，以至于米利根先生说话时几乎能让所有人听得出十分满足的意思：

"啊，公爵夫人，我想这才是诚实、美丽却依然保留着传统心灵的女士，比那些年轻而满嘴胡话的现代人更有优势的地方所在——并不是很多男人不出色——对她而言，甚至是以后，即使他们不是处在社会的最底层，她也能看透他们。"

"可是如此一来就会把我抛在原来我所处的境地。"公爵夫人想。"我相信，"她大声说，"我应该以公爵的丹佛之名义为一张慷慨解囊的支票对您心怀感激。昨天他收到一支给教堂重修基金的支票。他当时感到非常高兴，而且也十分惊讶，这个可怜而又可笑的人。"

"哦，那不代表什么，"米利根先生说，"我们那边没有一座建筑物像你们这里的精美、古老，却陈旧不堪，因此当听说在这个古老的国度中有一座这样的建筑因时间久远而遭到严重磨损的时候，我们有权获得许可往那些蛀洞里滴进一些煤油。所以您的儿子对我说起公爵的丹佛时，我并没有等着义卖市场的活动就捐款了。"

"可以肯定您真是太好心了。"公爵夫人说，"那么，您现在准备前往义卖市场吗？"她继续说，眼睛里放射出迷人的目光盯住了他的脸。

"这是肯定的。"米利根以非常迅速的反应说，"彼得勋爵说您肯定会通知我具体日期的，可是不管怎样我们还是能够为一些有意义的慈善事业找到时间的。当然，我一直希望自己能够因此获得您的邀请而暂时中止手中的事情，可是尽管忙得不可开交，我也无论如何会尽量做好安排急忙赶过来，谈谈我的看法，之后再迅速赶回去的。"

"非常希望如此，"公爵夫人说，"我必须弄清楚在那样一个日子里到底要干些什么——当然，我无法保证——"

"不，不，"米利根先生发自内心地说，"我知道这些情况该如何解决。而且不仅仅只有我——还有您儿子曾经提到过那些在欧洲真正杰出的大人物，要咨询解答一些问题。"

一想到那些声名显赫的人在某个时期可能出现在某个人家的客厅之中，公爵夫人的脸一下子变得苍白，不过此时她已经为自己找到了一个舒适的位置，甚至找到了自己的活动范围。

"我无法说出我们对您有怎样的感激之情，"她说，"我们心里的感激会化成一种行动。请告诉我您想说什么吧。"

"啊——"米利根先生正准备开口说。

突然，所有人都迅速站了起来，几乎同时大家听到了一个充满懊悔的声音：

"实际上，真是非常抱歉，大家直到——希望大家能原谅我，斯沃夫汉姆夫人，什么？亲爱的夫人，我怎么可能忘记您发出的邀请呢？实际情况是因为我迫不得已跑到萨利斯布里去看望一位先生——绝对是真的。我可以发誓，可是那伙计不愿意让我走。我快要匍匐在您面前了，斯沃夫汉姆夫人。我可不可以躲到去角落里吃午饭呢？"

斯沃夫汉姆夫人十分优雅而宽容地原谅了眼前这位并未受到指责的罪人。

"你亲爱的母亲在这里呢。"她说。

"她好吗？母亲大人！"彼得勋爵有些不自在地说。

"你好吗，亲爱的？"公爵夫人回应道，"你真是不应该现在才来。米利根先生刚准备告诉我他为义卖市场准备了一场激动人心的演讲，正巧你就来了，打断了我们的谈话。"

午餐时，关于巴特西的调查询问被人有意识地提了出来。公爵夫人对西普斯夫人受到验尸官的提问进行了生动的模仿。

"'那天夜间您听到异常动静了吗？'那个小男人说，身体向前倾斜着对她尖声叫道，他的脸涨得通红，耳朵都竖了起来——简直就像是在彭尼森那首诗里面长着翅膀的小天使一样——一个那样的小天使是蓝色的吗？——也可能像那种有六只翅膀的天使，我是说——无论如何大家会明白我是什么意思的，所有的眼睛，还有几只小翅膀都长在脑袋上。后来，可爱的老西普斯夫人说：'当然，我听到过，这八十年来随时都有的声音。'在法庭上这样的答复引起一阵不小的轰动，直到他们发现她认为他说的是'您睡觉时从不开灯吗？'于是所有人都大笑起来，接着那位验尸官用非常洪亮的声音说：'见鬼，这个女人！'而她也听到了验尸官的话，我无法想像是怎么听到的，可她说：'难道你没有发过誓吗，年轻人，你就坐在上帝的面前，你可以这样说话，我不明白如今年轻人怎么变成这样了'——而他也已经年满六十岁了，你们知道的。"公爵夫人说。

谈话非常自然地过渡到别的话题，汤米·弗雷利夫人谈到了那个因在一间浴室里杀害三位新娘而被处以绞刑的男人。

"我始终认为那太具有独创性了，"她说，眼睛却深情地盯着彼得勋爵，"而且您知道吗？既然发生了这样的事情，汤米让我对自己的生活也感到不安定，觉得非常恐惧，所以我放弃了早晨的沐浴，转而改成他在房子里时下午沐浴——我的意思是，他并不在房子里时——是在家里，我的意思是。"

"亲爱的夫人，"彼得勋爵恭敬地说，"我记得很清楚，那几位新娘全都不是很有魅力。可是那倒是一个足智多谋的计划——第一次提问——只是他不应该反复重申自己的观点。"

"现在，人们总是愿意具备更多的独创性，即使是杀人犯也不例外。"斯沃夫汉姆夫人说，"像那些剧作家一样，您知道——在莎士比亚时代显然更容易一些，不是吗？常常出现的情况是，同一名姑娘装扮成男人，甚至她的行头都是从博卡基奥，或者丹蒂，或者别的人那里借来的。可以肯定，如果我是莎士比亚剧本里的一名主人公，一旦我看见那个长着细腿的年轻报童，我就会说：'奥迪斯科蒂金斯！又是那个女孩！'"

"那的确是发生过的情况，事实上，"彼得勋爵说，"您知道，斯沃夫汉姆夫人，即使您曾想到过实施杀人计划，您不得不去做的事就是设法阻止人们展开联想。绝大多数人不会联想到太丰富的内容——他们的想法就像盘子里到处滚动的干豌豆，发出的噪声很大，却也无法滚动到别的地方去，可是一旦您把这些豆子串成项链，这串项链结实得足以勒死人，对吗？"

"天啊！"汤米·弗雷利夫人尖声说，"我的朋友没有一个会有任何想法，这简直是太大的幸事了。"

"您知道，"彼得勋爵一边说，一边用叉子叉住一块鸭肉，随后又皱起了眉头，"人们考虑事情并不一定有逻辑性，逻辑也只是出现在歇洛克·福尔摩斯和类似于此的故事之中。通常而言，如果有人告诉您的事情不合常理，您只会说'天啊！'或'多么悲哀啊！'然后就此置之不理，过了一段时间您会忘记这件事，除非又有什么事情出现会令此事又重新回到原来的状态之中。例如，斯沃夫汉姆夫人，我在进来的时候曾告诉过您我去了萨利斯布里，而且也的确是事实，可是我并没有想到我所说的话会给您留下那么深刻的印象，而且我认为即使您明天看到报纸上有一条悲剧色彩的消息，报道萨利斯布里有位律师被人发现死了，我所说的话也不一定会给您留下多么深刻的印象，但是如果我下周再去萨利斯布里，那之后有位萨利斯布里大夫被人发现死了，您可能会开始认为我到萨利斯布里住过，而且是一个报告凶讯的人，可是如果我在那个星期之后再次去那里，而您会在第二天突然发现没有关于萨利斯布里的情况，您可能会对我为什么到萨利斯布里去感到奇怪，而且还会对我为什么从来不曾提到我在那里有朋友，而且如果您没有见过这个朋友，您可能会亲自到萨利斯布里本地，并向周围各种人打听，问他们是否曾经碰巧见到过一位穿着杏黄色袜子的年轻人在大主教宫殿附近转悠。"

"我敢说我会那么做的。"斯沃夫汉姆夫人说。

"的确如此。而且如果您发现那位律师和那名大夫都曾为生意去过沼泽地区的帕格里滕，而当时主教已升任教皇了，您会开始想起您曾经听我说过很久以前去过沼泽地区的帕格里滕，然后您会查找那里的教区记事簿，结果发现我早就借用一个化名在这位教皇的主持下与一位富有的农场主的遗孀结了婚，而那位农场主先前则突然死于腹膜炎，而且大夫也曾对其死因进行过鉴定。在律师制定遗嘱把她所有的财产都留给我之后，接着您可能又开始认为有足够充分的理由除掉这些信誓旦旦的敲诈者，比如说律师、大夫，还有那位主教。唯一一点就是，如果我从来不曾启动您脑海中的联想，让您认为会在同一个地方除掉所有这几个人，您永远也想不到要到沼泽地上的帕格里滕去，而且您也根本不会想起来我曾经到过那里。"

"您是否曾经去过那里呢，彼得勋爵？"汤米夫人焦急地问道。

"我想我从来没去过那个地方。"彼得勋爵说，"那个地名在我脑海里没有丝毫印象。可是有一天可能会想起来，您知道的。"

"可是如果调查一桩犯罪案件，"斯沃夫汉姆夫人说，"您就不得不从平常事件着手，我想——弄清楚此人曾经干过什么，谁受到了传唤，然后寻找动机，难道不是吗？"

"哦，是的，"彼得勋爵说，"可是要杀害无害的人，绝大部分凶手的作案动机是多样的。还有很多人要被杀掉，不是吗？"

"非常多，"斯沃夫汉姆夫人说，"还有那么可怕的——或许我最好还是不说出来。如果有人明天突然死了，那简直就太让人感到恐惧了。"

"巴特西案件的困难在于，我猜想，"米利根先生说，"似乎没有人对浴缸里的那位先生展开过联想。"

"那对可怜的萨格探长来说太难了。"公爵夫人说，"我对此人有种肯定的感觉就是，他在根本无话可说的时候，也不得不硬着头皮呆立着回答问题。"

因为迟到，彼得勋爵此时还在喂自己吃着鸭肉。这时他听到有人在问公爵夫人是否曾见过利维夫人。

"她现在正处于极度的悲伤之中，"提出问题的那个女人说，此人是弗里曼特尔夫人，"尽管她始终寄希望于他会出现。我想您原先认识他的，米利根先生——知道他，应该说，因为我非常希望他依旧在某个地方活着。"

弗里曼特尔夫人是一位出色的铁路管理官员的妻子，此时她正在为自己对世界金融情况的无知而感到庆幸。她在这种交往中有失检点的行为活生生地反映出生活在城市里的男人们的妻子常常在茶话会上表现的俗不可耐。

"啊，我曾与他一起吃过饭，"米利根很自然地说，"我认为他和我已经尽了我们各自最大的努力毁灭了彼此，弗里曼特尔夫人。如果这里是美国，"他补充道，"我很可能会怀疑自己已经将鲁本爵士安排在某个安全的地方。但是在您所居住的这个古老的国度里，我们不能那样做，不可以，夫人。"

"在美国做生意肯定是让人感到兴奋的事情。"

"的确如此。"米利根先生说，"我想我的兄弟们此刻正在那边过得非常愉快。我也将在不久之后再回到他们中间去，一旦我在这边为他们解决好一些工作上的事就可以达到目的了。"

"啊，您必须在我的义卖活动之后才能走。"公爵夫人说。

彼得整个下午都在四处寻找帕克先生，可是他所有的努力似乎都是徒劳的。最后他只得在晚餐之后去了他位于奥蒙德大街的家中。

帕克此时正坐在一张充满温情的椅子里。他坐的那把椅子看上去已经有不少年头了。他把双脚搭在壁炉台上，脑子里却琢磨着关于《埃皮斯泰尔家族到加兰蒂思家族》的一篇现代评论，以此放松心情。他很开心却没有欣喜若狂的热情，而是相当平静地迎接了彼得的到来，还为彼得勋爵倒上了加苏打的威士忌。彼得拿起他的朋友放在一边的书，顺手翻了几页。

"所有的人在工作中思想上都带着一种偏见，不是这样，就是那样。"他说，"他们发现了各自正在寻找的东西。"

"哦，的确如此，"侦探表示赞同地说，"可是要知道，人总会自动学着对自己的发现持怀疑的态度。还是在上大学的时候，我会完全站在一边的立场之上——康尼贝尔和罗伯特伊森，还有德鲁斯以及其他一些人，可是后来我发现他们全都在忙着寻找一个从没有人见过的夜盗，而且这么说吧，我还发现他们根本无法辨认出自己家人的足印。之后我便用两年的时间学习怎样做到小心谨慎。"

"嗯。"彼得勋爵说，"神学应该是对大脑很好的训练，因为你是我所认识的人中最谨慎的家伙了。可是我要说，继续研究吧——对我来说在你休息的时候跑来打扰你是很丢人的。"

"没关系，老伙计。"帕克说。

两个男人沉默不语地坐了一会儿，之后，彼得勋爵说：

"你喜欢自己的工作吗？"

侦探想了想，然后回答说：

"是的——是的，我很喜欢。我认为这项工作非常重要，而且我也很适合干这行。我干得应该还算不错——或许并没有受到鼓舞，但出色得足以令我为自己在工作中的表现感到骄傲。这项工作中充满着多样性，而且它会让人始终保持着一定的精神状态而不会变得懒散。再说，这项工作也很有前途。我喜欢这样的工作。怎么了？"

"哦，没什么。"彼得说，"你知道这只是我的习惯而已。事情的基本原因还很模糊不清的时候，我总是想弄明白，因为情况太令人感到兴奋了，而且最要命的是，我喜欢这样——直到契入正题。如果事情一目了然地摆在纸上，我喜欢鉴赏案情的每一个细节。我热爱一项工作的开始——当一个人不认识任何人的时候，这时案情才会令人兴奋不已，非常有意思。但是案情一旦落实到某个活生生的人身上，而且还必须将他处死，或者甚至是关押在监狱中，可怜的东西，因为不必以此谋生，所以看上去我也没有任何借口可以进行干预。而且我会觉得自己似乎不应该觉得办案是件有意思的事情。可是我却的确有这样的看法。"

帕克总结发表了自己的一段言辞。

"我明白你是什么意思。"他说。

"比方说，现在来了个老米利根。"彼得勋爵说，"从理论上说，再也没有任何事情要比抓住老米利根的辫子更让人感到滑稽的了，可是他却是个相当狡猾的谈话对手。母亲喜欢他，他也比较喜欢我。可是要想用为教堂修整而进行开销，进而进行义卖的琐碎之事这样的借口从他身上探究出秘密来简直是无聊之极。可以假设老米利根会割断利维的喉管，然后把他扔进泰晤士河。可那并不是我的工作。"

"这件事情对你而言与对其他人是一样的。"帕克说，"为金钱去做此事不会比没有任何理由去做要好到哪里去。"

"是的，就是这样。"彼得固执地说，"不得不谋生是做这种事情的惟一理由。"

"是这样，可是瞧着吧！"帕克说，"如果米利根不为任何原因割断了利维的喉管，而只是为让他自己变得更加富有，我不明白他为什么要拿出一千英镑给公爵的丹佛教堂房顶来收买自己，也不明白为什么他只是因为是个孩子气的恶棍或者幼稚的势利小人就应该得到宽恕呢？"

"那是个令人恶心的家伙。"彼得勋爵说。

"哦，你喜欢他是否因为他喜欢你？"

"不，但是——"

"看看这里，温姆西——你认为是他杀了利维吗？"

"哦，他很可能干了这样的事。"

"可你是不是认为他干了呢？"

"我并不想这样认为。"

"因为他喜欢你吗？"

"哦，你这是对我有偏见，当然——"

"我敢说这是非常合理的偏见。你并不认为一个冷酷的凶手会喜欢上你，对吗？"

"嗯——除此以为，我也很喜欢他。"

"我敢肯定地说，这是非常合理的。你已经对他进行了观察，而且你也从自己的观察中得出了你原本潜意识就有的结论。结果就是，你并不认为他杀了人。哦，为什么不这样认为？你有责任对此进行认真思考。"

"但我或许是错的，而且他的确杀了人。"

"那么你为什么要让自己这种自以为是在你对事物特征进行评估的过程中不敢去揭露这种独特的血腥凶杀呢？可是在这场杀戮当中，受害者是个无辜而可爱的人。"

"我知道——可是我并不认为我在某种程度上是游戏的态度。"

"瞧着吧，彼得，"对方认真地说，"从你的大脑里彻底根除这样伊顿园地的游戏吧。鲁本·利维爵士身上发生了一些令人感到很不愉快的事情，这一点看来是没有太大疑问的。为增强辩论效果，把这事称作谋杀吧。如果鲁本爵士被人杀了，还是游戏吗？以游戏的态度来处理此事公平吗？"

"这正是我蒙羞之处，真的。"彼得勋爵说，"对我来说，开始的确是游戏的态度，而且我也非常高兴地继续进行着调查，接着我突然发现有人会受到伤害，于是我想从中摆脱出来。"

"好的，好的，我知道了。"侦探说，"但那是因为你在思考着自己应采取的态度。你想做到言行一致，你还想自己表面上看上去十分优越，想温文尔雅而悠闲自得地游荡于木偶人或别的东西组成的一幕喜剧之中，或是从容地对待人生悲欢离合的悲剧之中。可那都是非常幼稚的。如果你对社会怀有责任感，准备弄清凶杀事件的真相所在，就必须随时采用坚定的态度来处理此事。你还想做到优雅而超然吗？如果你能以这样的方式找到真相，当然很好，可是就事情本身而言却没有丝毫价值，这你是知道的。你想看上去做到言行一致且十分威严——那与此事又有何关系呢？你想像做运动那样就能逮住凶手，然后与他握着手说：'游戏进行得很顺利——运气不佳——明天你就会得到报应！'哦，你不能那样来处理此事。生活并非足球比赛。你想做一名运动员，但却无法成为一名运动员。你是个负责任的人。"

"我认为你不该看这么多神学方面的书。"彼得勋爵说，"神学对人会产生残酷无情的影响。"

他站了起来，开始在房间里踱来踱去，而且还懒散地打量着书架。之后他又坐了下来，把烟斗里填上烟丝，点着后接着说：

"好吧，我最好还是对你说说那个凶恶而倔强的克里姆普尔汉吧。"

他把去萨利斯布里的情形详细描述了一遍。直到确定了他的真实身份，克里姆普尔汉才把他到城里去的所有细节进行了最完整的描述。

"而且我也已经对他所说的一切进行了核实，"彼得爵士有些抱怨地说，"除非他已经收买了半个巴尔汉地区的人。毫无疑问，他是在伦敦过的夜，而且那天下午也的确是与银行的人在一起。还有，萨利斯布里有一半以上的居民似乎都看到他是星期一午饭前离开的。除了他的家人或者年轻的威克斯，没有人看上去能从他的死获得任何东西。即使年轻的威克斯想和他分道扬镳，也犯不着为了把克里姆普尔汉的眼镜架在他的鼻梁上而跑到西普斯家里杀掉一个不为人知的男人。"

"年轻的威克斯星期一在哪里呢？"帕克问。

"他在一个教堂歌咏班指挥者主办的舞会上。"彼得爵士有些放肆地说，"大卫——他的名字叫大卫——就在面对大教堂的主的避难所前跳舞。"

谈话中断了片刻。

"告诉我询问调查的情况吧。"温姆西说。

帕克将证据调查情况的概要陈述了一遍以满足对方的要求。

"你是否相信那具尸体就藏匿在那套公寓里呢？"他问，"我知道我们调查过，可是我猜想我们也许漏掉了什么。"

"我们有可能漏掉了东西，可是萨格也检查过了。"

"萨格？"

"你这样做对萨格不公平。"彼得爵士说，"如果在犯罪行为中发现了西普斯友人和同谋的痕迹，萨格就有可能找到这样的痕迹。"

"为什么？"

"为什么？因为他一直在寻找那些痕迹。他就像你的那些格勒第安斯的评论员一样。他认为要么是西普斯，要么是格拉迪斯·霍洛克斯，再不就是格拉迪斯·霍洛克斯的年轻男人干的。无论如何，他有可能发现了那个男人通过窗子进入或递给格拉迪斯什么东西的痕迹，而屋顶上却没有这种印记，因为他没发现什么。"

"可在我之前他去过屋顶。"

"是的，可那仅仅是为了证实那儿没有痕迹。他的理由是这样的：格拉迪斯的年轻男人是玻璃安装工，玻璃安装工常用梯子，玻璃安装工随时有机会接近梯子，于是格拉迪斯的年轻男人备了梯子，于是他用了梯子，于是窗户上会有痕迹而屋顶上不会有。他在院子里没有发现丝毫印记，不过他认为如果院子里铺的不是沥青的话他有可能可以找到一些蛛丝马迹。与这种情况类似的是，他会认为西普斯先生也有可能把那具尸体藏匿在储存室或是别的地方，因此你能肯定他仔细搜寻过那个储存室和其他所有带有被人用过痕迹的地方。如果有那样的一些地方它就有可能找到痕迹，因为他一直都在寻找那些痕迹。因此，如果他没有找到也是因为那些痕迹根本就不存在。"

"好吧。"帕克说，"别再继续说了。我相信你。"

他继续详细地描述其医学方面的举证情况。

"顺便说一句，"彼得爵士说，"要暂时跳到另一桩案件上去。你是否曾经想到过利维在星期一夜间或许曾准备去看弗雷克呢？"

"他是曾有这打算，而且他的确也去了。"帕克相当意外地说，并且接着重新述说他到神经专家那里拜访的情况。

"哼！"彼得爵士说，"我说，帕克，这些都是很可笑的事情，不是吗？询问调查的一切线索看来都逐渐断了。让人感到激动不已的是案情急剧发展到某一个关键程度，您知道，接着却突然由此得不到任何下文。简直就像是河流在沙漠里突然断流了一样。"

"是的。"帕克说，"今天上午我还错过了另外一件事。"

"什么事？"

"哦，当时我正准备就利维生意方面的情况进行仔细盘问。除了进一步了解到有关阿根廷事件以及相关更多详细情况以外，我无法探听到更多看似重要的情况了。之后我便想到了在城里四处打听一下关于佩鲁维安石油股票方面的情况。尽管我能弄清楚，但利维根本就不曾听到那些情况。我调查了一下那些股票、公债等有价证券的经纪人的情况，结果发现了许多神秘现象和隐蔽情况。就像一个人常常遇到的情况那样，你知道，此时肯定有某个人一直在操纵着市场，而且至少我在背后发现一个人的名字。可是此人并非利维本人。"

"不是他本人？那是谁？"

"简直是太荒谬了，是弗雷克的名字。这样一来情况看起来就有些扑朔迷离了。他在上个星期买了很多股票，而且是以一种极其秘密的方式，那些股票只有一部分用的是他自己的名义，之后，到星期二 那天他又悄无声息以极小的利润将那些股票抛了出去——只盈利几百英镑，根本就不值得费那么大周折去干这种事，你可能认为不值得如此。"

"难道你不认为他曾经参与了某种赌博？"

"从常规而言他不会。那也正是事情有意思的地方。"

"噢，你永远也不了解，"彼得勋爵说，"人们做这些事情只是为了证明自己或者别的某个人能以他们自己喜欢的方式挣到一大笔钱。我自己曾经就在小范围内对这样的事情小试过一把。"

他磕灭了烟斗，然后站起身来准备离开。

"我说，老伙计，"他突然开口说，而此时帕克正要给他让出路来，"你是否想到过弗雷克所讲的情况与安德森对星期一夜间这个老小伙子一直在晚宴上表现得很开心的那么一种情况差距很大呢？如果你认为你能从这种情况得出什么结论的话，你可以吗？"

　　"不，我得不出任何结论。"帕克说，"可是，"他以自己习惯的谨慎态度补充道，"有些人会在牙医的候诊室开玩笑。比如说，你就是一个。"

　　"噢，那倒是事实。"彼得勋爵说后便下了楼。

第 八 章

　　彼得勋爵大约在半夜时分才回到家中，可是他却感到异常清醒和警觉。有件事在他的脑海里快速转动，并让他感到烦心。整个案情此时看来让他感到就像是一窝蜜蜂突然受到了扰动而突然炸开了锅。他感到自己仿佛正仔细琢磨着——一则相当复杂的谜语，虽然他早就得知了谜语的答案，可是他却忘掉了这个答案。他正卡在始终不停地想要再回想起答案的关键时刻。

　　"在什么地方，"彼得勋爵对自己说，"我把解开这两件事情的钥匙放在了某个地方。我知道自己已经找到了答案。也许我还说出来过答案。想不起来在哪里，可是我知道自己已经找到了答案。睡觉去吧，邦特，我想再熬一会儿夜。我会换上睡衣的。"

　　他嘴里叼着烟斗，裹着那件花哨而满是孔雀图案的睡袍坐在了壁炉前面。他细致地琢磨着调查进行的这种或那种线索——思绪的河流又流进沙漠之中。线索最终都停滞在利维最后被人看见是十点钟在威尔士亲王大街的这个关键细节上，而所有线索又返回到在西普斯先生浴室里发现的那个奇怪的死者那个场景，之后便彻底中断了——消失在沙漠之中。思绪的河流涌进沙漠——河流在暗中涌动——在很远很远的地底下——

圣河，阿尔佛，穿越无数深不可测的洞穴向人类流淌。

深深地埋藏于见不着日光的海洋之下。

彼得爵士歪垂着脑袋，那模样看上去是在倾听着河流的涌动，非常模糊，在黑暗中的某个地方不断发出溅水声和汩汩作响声。可是究竟在哪里呢？他能肯定有人曾经告诉过他，只是他忘记了。

他振作了一下精神，在炉火上添了根木头，然后拿起一本书。书是那个不知疲倦的邦特从时代图书俱乐部借来的，邦特正是用看这本书来打消自己在特殊职责中遇到激动人心的事情时所感受到的疲惫。而那本书碰巧正是朱利安·弗雷克爵士的《道德的生理基础》，而彼得勋爵本人曾在两天前翻阅过。

"这下该把人打发入睡了，"彼得勋爵说，"如果无法将这些问题留在潜意识里，我明天会像一块破布一样无精打采。"

他慢慢翻开书，漫不经心地浏览着书的前言部分。

"我要弄明白利维不舒服这种情况到底是不是事实。"他思索着将手中的书放了下来，"看上去不太可能。可是——见鬼去吧，我不能再琢磨下去了。"

他又坚持继续看了一小会儿书。

"我想母亲大人并没有与利维家人保持着太多的联系。"可是随后，思绪的长龙依旧坚定不屈地进行着。"父亲非常讨厌那些白手起家的人，也不会让他们留在丹佛。兄长杰拉尔德始终坚持这个传统。我想弄明白他过去是否非常了解弗雷克。看起来此人与米利根相处得十分融洽。我信任母亲的判断力。她对义卖这件事非常热心。我应该早一点提醒她。她曾经说有的事——"

他继续追踪捕捉着一段难以琢磨的记忆，好一会儿，记忆的思绪最终完全消失在线索遗留下来的忽隐忽现之中。他继续往下读。

随后，一张外科方面实验的相片又勾起他脑海中另一个念头。

"如果弗雷克和那个叫沃茨的男人的证据并不确定，"他对自己说，"我应该调查一下烟囱上有关那些破棉绒的情况。"

想到这里，他摇了摇头，随后便坚定地继续看起书来。

意念和事实是一件事，这正是心理学家研究的主题，情况就像他一贯反映的情况那样能引发出多种意念想法。你可以用刀在脑海里刻下各种情感，也可以用药物消除一切想像，并像治疗疾病那样去治疗陈旧的习俗。"尝试对于正义与邪恶的了解是进行观察的一种现象，这种现象伴随于大脑细胞的某种状态，是可以去除的。"书中的一段文字这样写道。接着还有：

"道德在人的脑海中，或许实际上可以比喻成只窝居在巢中的蜜蜂的叮咬。这种叮咬尽管有助于实施叮咬行动者的康乐幸福，但无法发挥作用，单一一次实施不会引起它本身的死亡。在每个案件中，生存价值因此纯粹是社会性的；如果人性尤其社会发展的目前阶段进入到一种更高层次的个人主义阶段，就像我们的一些哲学家们曾壮着胆子所推测的那样，我们会假想这种有趣的暂时现象会逐渐消失，就像神经和肌肉一旦控制住我们的耳朵和头皮一样，虽说可以完全保住一些倒退的个性，可是却会继续衰退。这种情况也只有心理学家会发生兴趣。"

"天哪！"彼得爵士毫无根据地认为，"那是针对犯罪分子一种理想的学说。一个人如果相信这些，将永远不能——"

随后，意外出现了。他在半清醒意识状态下一直期待的事情发生了——情况发生得如此突然，可以确定，如此准确无误，就像日出一样。他想起来了——并非一件事情，也不是另一件事，也不是具有逻辑连贯的一系列事情，而是所有的一切——整个事情，丝毫不差，完完全全，就像事情本来的面目一样，而且是那样及时，从事情本身的各个角度展现出来，仿佛他处于局外位置，却眼睁睁地看着整个事件悬落在无限的立体空间当中。他不再需要追究事件的原因了，或者说他无需再思考此事了。他彻底明白了。

原来是一个游戏，而在此游戏当中，有人要摆出混合在一起的一些字母，并且要求从这些字母中选出一个词语来，比如：

COSSSSRI

要解答这个难题比较慢的办法就是尽量依次试着进行一切排列变换与组合，抛开所有不可能的字母组合方式，如：

SSSIRC

或者

SCSRSO

而另一种办法就是紧盯住那些看上去并不协调的元素，直到大脑意识排除那些非逻辑过程，或是在某种偶然的外部刺激之下得出该组合即：

SCISSORS（剪刀）

此单词便以这种平静的确定呈现出来。在此之后，甚至根本不需要按顺序来安排各个字母，问题就完全解决了。

即便如此，两个奇形怪状的难题中那些散乱的因素从各个方向涌进彼得勋爵的脑海里，并对其进行解答，从此以后再也不会受到任何质疑了。在最后那间房子的房顶上一次撞击——利维在寒冷的大雨中一次沉沦，在巴特西家园路与一名妓女的谈话——独一无二的棕黄色头发——棉质绷带——萨格探长称呼那个医院解剖室里的外科大夫——利维女士紧张的反驳——苯酚肥皂的气味——公爵夫人的声音——"并非真正的约定，只适合他的一种理解"——佩鲁维安石油股票——浴缸里那个男人暗黑的皮肤，受到扭曲而鲜明的侧影——格林姆波尔德大夫提供的证词"依本人意见，死亡并非出现在受到重击后的几天里"——橡胶手套——深知，虽然模糊的阿比尔多先生的声音"他来拜访我，先生，还带着一本反对活体实验者的小册子"——所有情况和其他许多事情一起响起并汇合成一个声音，这些事情就像是穿越喧闹发出浑厚的最低回响，荡漾在教堂尖顶上同步摇摆的大钟里：

"对于正义与邪恶常识的理解是大脑的一种现象，而且是可以去除的，可以消除，完全可以消除。对于正义和邪恶常识的理解是可消除的。"

彼得·温姆西并非是习惯自以为是的年轻人,可是这一次他很坦率地认识到自己震惊了。"那是不可能的,"他的理由虚弱无力地说,"绝对不可能。"带着不受外界任何影响的自我满足,他坚定地说。"好吧,"道德立刻联合着盲目的忠诚说,"如何处理此事?"

彼得勋爵站起身来,在房间里踱步。"天啊!"他说,"天啊!"接着,他从电话上方的小架子上取下那本《谁是谁》,在书里寻求起安慰来。

弗雷克,朱利安爵士,一九一六年加冕爵士,一九一九年加冕皇家维多利亚大十字勋章爵士;一九一七年加冕皇家维多利亚荣誉爵士,一九一八年获巴斯勋位高级爵士;硕士学位,皇家内科医师学会会员,皇家外科医师学会会员,巴黎大学医学博士;英国剑桥大学科学博士;耶路撒冷优雅爵士大人;巴特西圣·卢克医院咨询外科大夫。一八七二年三月十六日出生于格里林汉姆,是格里林汉姆格林里尔大院的爱德华·柯曾·弗雷克先生惟一的儿子。教育情况:牛津大学哈罗工学与三位一体学院。"陆军医务所"机构顾问委员会最新成员。出版作品《邪恶之人病理学方面的有关注释》(一八九二年);《英国和威尔士对脊髓灰质炎研究的统计贡献》(一八九四年);《神经系统的功能障碍》(一八九九年);《脑脊髓的疾病》(一九零四年);《精神错乱的边疆》(一九零六年);《在英国对贫民精神错乱的一次调查》(一九零六年);《精神疗法的现代发展》(一九一零年);《犯罪精神错乱》(一九一四年);《精神疗法在处理弹震症方面的应用》(一九一七年);《在埃米安斯基地医院实施几次实验的叙述：答弗罗德教授》（一九一九年）；《结构的更改伴随着更重要的精神神经病》（一九二零年）。俱乐部：怀特俱乐部，牛津与剑桥俱乐部等等。爱好：象棋，登山，垂钓。地址：南威尔士十一区巴特西家园，威尔士亲王大街哈里街二八二号，圣·卢克公寓。

彼得一把将书扔到一边。"进一步核实！"他痛苦地呻吟着，"好像早就该这样做。"

他再次坐下来，将脸埋在手心里。他猛然想起多年以前自己如何站在丹佛城堡早餐桌前的情景——一个瘦小而憔悴的小男孩穿着蓝色灯笼裤，心里怦怦地狂跳不止。家里的人还没有下楼来，巨大的银质茶壶下点着一只酒精灯，而拱形的玻璃罩子里一个做工精细的咖啡壶正沸腾着。他骤然抽动起桌布的一角——接着用更大的力气抽动了一下，茶壶笨重地向前移动，桌子上所有的茶匙一起发出清脆的喀哒声。他坚定地紧紧抓住桌布，用尽最大的力气拼命一拽——至今他仍能感觉到当时那种微妙而可怕的毛骨悚然，茶壶和咖啡机以及仆人们为早餐所做的一切工作成果全部坠落在地上，并在瞬间变成一堆惊人的废物——他想起了男管家受到惊吓的脸和那位女客人的尖叫声。

炉火中一根木头从中间断裂开来，掉进一堆蓬松的白色炭灰之中。一辆因延时而迟到的载重卡车从窗前隆隆驶过。

邦特先生此时正睡得香着呢。一个粗哑的低语声将这位忠诚的仆人从短暂的酣睡之中唤醒了："邦特！"

"是，爵爷。"邦特说着坐了起来，同时拧亮了灯。

"关灯，真该死，你！"那声音说，"听着——就在那边——听——难道你没听见吗？"

　　"什么也没听见，爵爷。"邦特说着急忙从床上爬起来，抓住了他的主人。"一切很正常，快点上床睡觉吧，我会给您去取一点溴化乳剂。怎么了，您浑身都在发抖——您一直都熬夜熬得太晚了。"

　　"嘘，不，不——就是那种水声。"彼得勋爵说着，牙齿不停地打着战，"水快涨到他们腰部以下的地方了，可怜的家伙。可是听啊！难道你听不到吗？水流出来了，流出来了，流出来了——他们要暗害我们——可是我不知道在哪里——我听不到了——我听不到。听，你！又响了——我们必须找到——我们必须制止……听！哦，我的天啊！又听不到了——我听不到任何动静，比如说枪弹的嘈杂声，难道他们停止武器进攻了吗？"

　　"噢，天啊！"邦特先生自言自语道，"不，不——一切都很正常。爵爷——您别担心了。"

　　"可是我听到了。"彼得反驳道。

　　"我也听到了。"邦特先生毫不妥协地说，"我听得非常真切，爵爷。那是我们自己的坑道工在通信槽里干活。您不要为此感到烦恼，爵爷。"

　　彼得勋爵那只发烫的手紧紧抓住了他的手腕。

　　"是我们自己的坑道工，"他说，"能肯定吗？"

　　"确定。"邦特先生愉快地说。

　　"他们会推倒那座塔的。"彼得勋爵说。

　　"他们肯定会。"邦特先生说，"也不错。您只管躺下吧，爵爷——他们会完成任务的。"

　　"你能肯定不管这声音会安全吗？"彼得勋爵说。

　　"像所有的房子一样安全，爵爷。"邦特先生说着将主人的胳膊塞在自己的胳膊之下，领着他向卧室走去。

　　彼得勋爵顺从地服下药，也没有继续反抗地上了床。而身穿条纹睡衣裤的邦特先生此时看上去已经奇怪地完全不像他一贯的样子，一头直立的黑发乱糟糟地蓬在脑袋上。他忧郁地坐在一边注视着眼前这位还算年轻的男人那尖尖的下颌骨，还有他眼睛下的青紫色。

　　"想想吧，我们已经躲过了他们最后的进攻。"他说，"他已经使自己过度劳顿了。睡着了吗？"他焦急地紧盯着主人，话语里流露出爱怜的意味。"可怜的小傻瓜！"警卫员邦特说。

第　九　章

　　帕克先生接到通知要求他第二天上午赶到皮卡迪利一一〇Ａ号。他到达时发现那位寡居的公爵夫人已经在座。他非常友好地向她表示了问候。

　　"这个周末我要把这个傻傻的孩子带回丹佛去。"她说着指了指彼得，此时他正专心写着什么，而只是以简洁的点头表示他对朋友到来的认可。"他有些操劳过度了——东奔西跑到萨利斯布里和很多地方，而且还整晚熬夜——您实在不该鼓励她，帕克先生，您也太淘气了——因为对德国佬的恐惧而半夜三更把可怜的邦特给叫起来，那一切似乎并非发生在多年以前，而且他也已经有年头没有再遭遇到一次袭击了，可是他又出现了那样的状况！人的神经是多么有意思的事情，而彼得还是一个小孩子的时候就总做噩梦——当然，虽然那种情况经常发生，可是他只要用点药片就好了，但是他在一九一八年的时候情况却糟得吓人。您知道，而且我想我们不能指望他会在一两年内彻底忘掉所有关于战争的情况。说实在的，我应该为我的儿子们安然无恙感到千恩万谢，所以我仍然认为在丹佛的平和与宁静对他不会有任何害处。"

"很抱歉，你又遭到一场不幸的厄运，老伙计。"帕克有些含糊地表达着同情，"你现在看上去有点没精打采的。"

"查尔斯，"彼得的语调里没有任何感情色彩地说，"我要离开几天，因为我在伦敦呆着对你也没有意义。目前有些事情你来做比我做要更好一些。我想要你拿着这个"——他把刚才写的东西折了起来，然后装在一只信封里——"立刻到苏格兰场去，然后把它尽量传送到伦敦所有的济贫院、医务室、警察站，基督教青年会等等地方去。里面对西普斯家的尸体按他剃光胡子，收拾整齐以前的样子进行了描绘。我想弄清楚是否有与这里面描绘的内容相吻合的人被带到什么地方，活着或者死的，在最近这两个星期里。你要见到安德鲁·麦肯齐爵士本人，并且想办法使这份材料立刻传送出去，凭借着他的权威。你要告诉他说，你已经解开利维凶杀案和巴特西谜案的那些疑问"——帕克先生发出惊讶的声音，而他的朋友却并没注意——"而且你要请求他，随时准备好一份逮捕令以便在任何接到你消息的那一刻捉拿那个十分危险而重要的罪犯。在这份材料没得到回应的时候，你必须搜集关于对圣·卢克医院的所有报道，了解任何与圣·卢克医院相关联的人，而且必须立刻来找我。

"同时你还要设法去结识——我不管采用怎样的方式——一个在圣·卢克医院就学的学生。不要直截了当闯到那里到处发布凶杀案和警方逮捕令的消息，否则你会发现自己陷入困境之中。我一接到你的消息会马上赶回城里来，而且我还希望能看见这里有一位非常出色的天才外科大夫来迎接我。"他咧嘴微微笑了笑。

"你的意思是说你已经了解这件案件的底细了吗？"帕克问。

"是的。或许我弄错了。我倒希望自己弄错了，可是我知道自己并没有错。"

"你不想告诉我吗？"

"确实，要知道，"彼得说，"实话说，我不愿意讲出来。我说我很可能是弄错了——而且我会觉得自己好像在诽谤堪特布里大主教。"

"哦，告诉我吧——到底是一桩谜案还是两桩？"

"一桩。"

"你刚才说利维凶杀案。利维死了吗？"

"上帝——是的！"彼得说，声音强烈地颤抖着。

公爵夫人从她一直阅读着的小册子上抬起头来。

"彼得，"她说，"你的哆嗦是不是又要发作了？无论你们两个人在聊些什么，如果话题会让你激动起来，你们最好立刻停止。除此之外，现在也到了该走的时候了。"

"好的，母亲。"彼得说。他转身面对着邦特，而后者早已站在门口，手里拿着一件外衣和行李箱。"你早都明白你该干什么了，不是吗？"他说。

"完全清楚，谢谢您，爵爷。汽车刚好来了，尊敬的夫人。"

"里面还坐着西普斯夫人。"公爵夫人说，"她会为再次见到你而开心的，彼得。你也让她想起西普斯先生如果在，也会与她一样有同感的。早上好，邦特。"

"早上好，尊敬的夫人。"

帕克陪着他们下了楼。

等他们离开之后，他才茫然若失地看起夹在书里的那份材料——之后，他才恍然想起那天是星期六，因而必须加快速度，于是他叫住一辆计程车。

"去苏格兰场！"他大声叫道。

星期二的整个上午，彼得爵士都与一位穿着棉绒夹克的男人心情愉快地穿行在长满芜菁嫩叶的七亩田地里，伴随着他们的行进，脚下发出沙沙作响的声音，而芜菁地里也因提前到来的霜冻而呈现出一条条黄色的条纹。在他们前方一段距离远的地方，叶片丛里涌动着一股兴奋而热闹不已的暗流，昭示着那里活跃着一只丹弗公爵的塞特种鬣狗的幼犬，虽说看不见却能感觉到就在附近的某个地方。正在这时，一只斑鸡扑腾着飞了过来，发出像警察的哨声一样的嘈杂声。彼得勋爵称赞说，对于一个男人来说，这非常让他舒心，而他本人曾在几个夜里始终倾听虚幻的德国坑道工施工的声音。那只塞特种鬣狗在芜菁丛中傻乎乎地上蹿下跳着，不久叼回了刚才的那只鸟，当然已经死了。

"好狗。"彼得勋爵说。

受到了鼓舞，那只狗突然跳了起来，嚎叫着，耳朵也在脑袋上伸缩着。

"跟上去。"穿棉绒夹克的男人粗鲁地说，那只狗便羞怯地侧身向前行进着。

"狗的愚蠢之处在于，"穿棉绒夹克的男人说，"无法保持安静。太紧张了，爵爷。那是老黑母狗众多幼犬中的一只。"

"天哪，"彼得说，"那只老狗还在干活呢？"

"不，爵爷，我们在今年春天的时候就迫不得已把它处理掉了。"

彼得点了点头。他总是公然宣布说自己讨厌这个国家，并且还说他对自己与家族的产业毫无关系感到荣幸，可是这天上午他才发现自己很喜欢这里清新的空气和那些湿漉漉的叶片，它们在他没有觉察的时候悄悄打湿了他那闪亮的靴子。在丹佛，所有事情都有条不紊地进行着，没有人突然暴亡，除了上了岁数的塞特种猎狗以及斑鸡之类的东西之外，没有暴亡之类的情况是肯定的。他以欣赏的心情深深呼吸着秋天的气息。在他的口袋里揣着一封由早晨的邮差送来的信函，可是他并不准备马上就打开，帕克还没有来电话，所以不会有什么急事。

午饭后他才趁着吸烟的工夫看起信来。他的兄长也在场，拿着一份《时代》打着盹儿——他是一个优秀而整洁的英国男人，坚强而传统，非常像年轻时代的亨利八世。他叫杰拉尔德，是丹佛的第十六任公爵。这位公爵认为他的弟弟非常颓废，而且也不具备良好的礼节。他不赞同和认可弟弟对警察——法庭报道方面的品位。

那封信是邦特先生写来的。

威尔士大街皮卡迪利一一〇Ａ号

我尊贵的爵爷大人：

遵从您的指示我再次给您致信（邦特先生曾受到细心的指导，所以知道在一封信的开头要小心回避称呼直呼一个人的名字）。

　　凭借着以往的经验，我一直在想办法结识朱利安·弗雷克的男仆，而且在这方面也没有遇到丝毫困难。他与我的一位叫霍·弗雷德里克·阿布斯诺特的朋友一样属于同一家俱乐部。昨天（星期日）晚上，他把我带到那家俱乐部，于是我们与这位男仆一起吃了饭，他的名字叫约翰·卡明斯。之后我又邀请卡明斯到公寓里喝酒，抽雪茄。尊贵的爵士请原谅我这样做，想必您也知道这并非我本人的习惯，可是经验总是告诉我说，要赢得一个男人的信任最好的办法就是让他认为一个人在利用了他的雇主。

　　（"我过去还总是怀疑邦特作为一名学生的天分呢。"彼得爵士评论道。）

　　我给了他最棒的陈年葡萄酒（"你可干得有些糟！"彼得勋爵说），我曾经听到您与阿巴斯诺特先生谈论过这种酒（"哼！"彼得勋爵说）。

　　优质葡萄酒的效果与根据我的经验对如何处理手头上的头等大事的判断几乎完全一致，可是我要非常遗憾地向您表明，那个男人根本就不明白他抽雪茄时喝的是什么东西（一种您珍藏的陈年佳酿）。您能想到当时我对此并没作出任何评价，可是以您尊贵的身份，您会为我的感受表示出极大的同情。请允许我借用这次机会对您在食物饮品与着装方面所表现出的品位表达一番赞赏，好吗？如果我可以这样说的话，那远远不只是一种愉悦——而是一种教育。得以服侍您我实属三生有幸。

彼得勋爵严肃地点着头。

"你到底在干什么，彼得，坐在那里不停地点着头，就像有人在呼唤你一样？"公爵仿佛猛然间从瞌睡中醒来似的大声问道，"有人给你写来些美妙的东西，是吗？什么事？"

"妙不可言之事。"彼得勋爵说。

公爵满脸疑惑地注视着他。

"感谢上帝，但愿你不会离开这里去娶一个歌舞团的美人。"他发自肺腑地低声嘟囔了几句，之后便把注意力又转回到《时代》。

整个晚餐过程中，我始终都让自己注意观察了解卡明斯的品位和爱好，结果发现他的爱好只停留在杂耍剧场这样的阶段。在他喝第一杯酒的过程中我便从他身上了解到了这点，是爵爷您好心地给了我很多机会见证到在伦敦的所有表演，因此，为使自己能够得到他的喜爱，于是我采用了比自己平常态度说话时的态度更随意一些的方式。可以说他对女人的看法和他这种层次的品位正是我事先早意料到的那种男人身上具备的特点，他那种人只会就着您的上等葡萄酒吞云吐雾。

喝到第二杯的时候，我便提到爵爷您那些问题的主题。为节省时间，在此我以对话的形式记录下我们谈话的内容，并尽可能地符合谈话进行时的实际情况。

卡明斯：您看上去有很多机会见证一些生活，邦特先生。

邦特：如果一个人知道如何创造机会，他总会创造机会去达到自己的目的。

卡明斯：啊，您说起来倒是非常轻松，邦特先生。您还未成家，只有一种情况。

邦特：我远比那种情况要了解得更透彻一些，卡明斯先生。

卡斯明：我也如此——现在，只是太晚了（他沉重地叹了一口气，在此期间我又给他倒满了一杯）。

邦特：卡斯明夫人是否与您已同住在巴特西呢？

卡斯明：是的，她和我两个人一起为我的主人效力。这种生活！虽然白天会时不常有些家务方面的杂事，可是什么叫打杂呢？我只能告诉您在一天中只有我们自己呆在巴特西郊外非常无聊而乏味。

邦特：当然，对于那样的大房子是很不方便的。

卡明斯：我信任您。您很不错，在皮卡迪利这里，您说到点子上了。而且我敢说您的主人经常整夜不在家，对吗？

邦特：哦，经常如此，卡明斯先生。

卡明斯：而且我敢说只要有机会，你会抓住所有的机会经常溜出去，对吗？

邦特：那么，您怎样认为，卡明斯先生？

卡明斯：就那么回事，您就是那样！可是一个男人成天要对付一个唠叨个不停的傻女人和一个该死的科学家大夫那样的主人又是怎样的生活！那家伙整夜不睡觉，而是在解剖尸体，还用青蛙进行各种各样的试验。

邦特：他肯定有时候会外出。

卡明斯：不经常出去，而且总是在十二点以前便回来了。经常出现的情况是，如果他摁响门铃，而你却不在——我只是说出了我自己的想法，邦特先生。

邦特：他会为此而发火吗？

卡明斯：不——不，可是他会一直盯着你，像要把你看透一样，满脸很生气的样子，仿佛你就躺在他那张手术台上，而他却要随时准备把你解剖了一样。一个人适当埋怨点什么，您是应该理解的，邦特先生，只是看上去很生气的样子。尽管如此，我还是要说他是很不错的。如果他一时疏忽考虑不周的话，他会时常道歉的。可是他在家而且离开的时候让你无法在夜间休息，道歉又有什么用呢？

邦特：他怎么会这样做呢？让你呆到很晚也不能睡觉，是我说的这个意思吗？

卡明斯：不是这样，而且远远谈不上这样，十点半的时候房子就上了锁，家里的仆人都必须上床。那是他的一个小规矩。虽然我很高兴地说那是一个小规矩，但这一切都是很少出现的情况，我一贯喜欢的是一上床就能进入睡梦之中。

邦特：他经常干什么？在房子里到处溜达走动吗？

卡明斯：他不这样吗？还好，他只是从那个暗门进进出出来往于医院。

邦特：您的意思不会是说，卡明斯先生，像朱利安·弗雷克这样一位出色的专家会在夜里到医院工作吧？

卡明斯：不，不，他只是干自己的工作——研究工作，您可以这样说。解剖人的尸体。人们都说他非常聪明。能把您或者我像分解一只钟表一样分成一块一块的，邦特先生，之后再把我们组合到一起。

邦特：您是睡在地下室里吗，这样您就能如此清晰地听到他的动静啊？

卡明斯：不，我们的卧室在顶层。可是，上帝啊！这是怎么回事！他会使劲地撞门，如此一来，整座房子的任何一个地方就都能听到他的声音。

邦特：啊，我也曾多次与彼得勋爵谈论过这样的情况，而且还整夜谈过，还有洗澡的时候。

卡明斯：洗澡？您也许说对了，邦特先生。洗澡吗？我和我夫人就在水房旁边的房间里睡觉。那种噪声足以把死人都叫醒过来。整个过程都如此。您认为他曾选择什么时候洗澡？再也不会比上星期一夜里更晚了，邦特先生，知道吗？

邦特：据我所知，一般是早晨两点的时候洗澡，卡明斯先生。

卡明斯：您现在知道吗？哎，这次是在三点的时候。凌晨三点钟我们都被吵醒了。我只是告诉您我的真心话。

邦特：您不要这么说，卡明斯先生。

卡明斯先生：他总是解剖病人的尸体，您是知道的，邦特先生，而且只有冲洗掉所有的芽孢杆菌之后，他才会上床睡觉。也很自然，我敢说。可是我想说的是半夜时分并不应该是一位绅士让自己的头脑里装的依旧是病人的情况。

邦特：这些伟大的人物总是有着他们自己的处事方式。

　　卡明斯：是这样，我要说的只是那不会是我的处事方式（这种情况我能相信，爵爷。卡明斯并没有表现出要赞扬主人的伟大之处，而且他的裤子也并非我所希望见到的像他那种职业的男人应该穿的那种）。

　　邦特：他是习惯性地呆到那么晚吗，卡明斯先生？

　　卡明斯：哦，不，邦特先生，应该说，那并非一贯的做法。他为此也表示了道歉。就在当天上午，他还说他应该早就注意到水槽的问题——那是非常必要的。依我看是因为空气钻进了管道里，而且发出呻吟和尖叫一般的声响持续不断，就像发生了可怕的事情，邦特先生，我敢保证就是这样。

　　邦特：哦，您所说的应该是事情发生时的情形，卡明斯先生。人们总是会对一位懂得赔礼道歉礼节的绅士给予极大的容忍。而且，很自然的情况是，他们自己有的时候也无能为力。登门拜访的人有时候会出其不意前来拜访，并且让他们呆到很晚也无法睡觉，也许就是这样。

　　卡明斯：那倒的确是事实，邦特先生。现在我想起来了，上星期一晚上的确来过一位先生。虽然他来得很晚，可是也只呆了大约一个小时，而且可能也让朱利安爵士比平常稍晚了一些。

　　邦特：很有可能。让我再给您添点葡萄酒吧，卡明斯先生。要不，来点彼得勋爵的陈年白兰地。

　　卡明斯：来点白兰地吧，谢谢您，邦特先生。我想您一定掌握着这里的酒窖吧。（他冲我眨了眨眼）

　　"这点您就放心吧。"我说，于是我为他取来拿破仑酒。我敢向您尊贵的身份保证，为那种男人倒拿破仑酒简直是对我心脏的一次考验。可是，考虑到我们已经找到的正确线索，我感到这些酒也不算浪费。

"可以肯定，我想在夜间到家里来的总是先生，"我说（请爵爷原谅我如此大胆地作出这种假设。）。

（"上帝，"彼得勋爵说，"希望邦特在处事方式上少来些面面俱到。）

卡明斯：哦，他正是这样一种人，身份在那儿呢，不是吗？（他轻声笑了笑，还捅了捅我。在此，我对与他的谈话进行了部分压缩，他那番话对我而言都应该是不敬的，更别说对您了。他继续往下说）不，那根本是不会与朱利安爵士相关的事。他在夜间几乎没有来拜访的人，而且即使来人，也总是先生。而且他还把早点睡觉作为一条规矩，就像我曾经提到的那样。

邦特：正是如此，我从来就没发现过比整夜呆着一直到送走客人这样更无聊的事情了。

卡明斯：哦，我并没有亲眼看见那位客人出去。朱利安爵士在十点或大概那个时候让客人自己离开了。我听到那位先生大声说"晚安"，之后便离开了。

邦特：朱利安爵士总是那样做吗？

卡明斯：哦，得看情况。如果他目送客人下楼，他会让客人自己离开；如果他在楼上的书房里送走客人，他会摁响铃叫我。

邦特：那么，客人是在楼下了？

卡明斯：哦，是这样。朱利安爵士打开的前门，我记得。他当时碰巧在大厅里工作。现在我才想起来，接着他们就上楼去了书房。当时的情形很有意思，我知道他们的确进了书房，因为我碰巧到大厅里去加煤，而且我听见他们上楼的声音。而且除此之外，几分钟后朱利安爵士在书房摁响铃叫我。还是原先那一套，无论如何，我们听到他十点走了，或者也可能稍微早一点。他在那里呆了大概不到四十五分钟。不过，正如我刚才说的那样，朱利安爵士整夜都从那道暗门进进出出，还撞门，而且在凌晨三点的时候洗澡，并在八点起床用早餐——这可把我折腾坏了。要是我有他那些钱，如果还在半夜在那些死人身上割来割去的，简直就是对我的诅咒。我会找到更美好的事情来打发我的时光，哎，邦特先生——

我不必再重复更多他的谈话内容了。他的谈话让人听起来感到越来越不舒服，也不连贯，语无伦次的，更何况我也无法让他回想起一夜间所有的事情。直到三点钟我才把他打发走。他伏在我的肩头哭起来，说我是个精灵鬼，而您是适合他的主人。他说朱利安爵士会为他那么晚回家大发雷霆的，可是星期日晚上是他外出的晚上，而且如果要有类似的事情他会告诉我的，我想他会得到错误的建议这样去做，就像是我感觉到如果我在朱利安·弗雷克家里，他不是一个我会诚心诚意推荐的人一样。我还特别注意到他的靴子后跟已经有点磨坏了。

应该补充的是，作为对爵爷您的酒窖诸多出色优点的一种赞赏，尽管我处于迫不得已喝了大概不少克欧克伯恩 68 和拿破仑 1800 这两种酒，可是直到今天早晨，我也一点没感到头疼或者有别的副作用。

相信爵爷已从乡间的清新空气中获得了实实在在的实惠，而且我竭尽全力获得的这点微不足道的信息将会得以证明，并且会令人感到满意的，我始终对您全家怀有尊敬的义务。

忠诚的

默文·邦特

"要知道，"彼得勋爵若有所思地自言自语道，"有的时候我还以为默文·邦特总是在拖我的后腿。这是什么，索姆斯？"

"一份电报，先生。"

"帕克。"彼得勋爵说着打开了电报。只见电报上写着："关于尸体的描述情况在切尔西济贫院找到了答复。上星期三的时候一个无人认识的流浪汉在街头发生意外事故受伤，星期一死在了济贫院。当天傍晚尸体被送到弗雷克预定的圣·卢克医院解剖室。迷雾重重。帕克。"

"好哇！"彼得勋爵说着眼睛里突然放射出光芒。"我对自己把帕克都弄迷糊了感到非常开心。这给了我极大的自信，让我感到自己像歇洛克·福尔摩斯。简直太简单了，沃森。尽管如此，还是要全力以赴！这真是一桩令人烦心的事。无论如何，还是把帕克迷惑住了。"

"什么事？"公爵说着抬起头来，一边打着呵欠。

"下令出发，"彼得说，"回城。非常感谢你的盛情款待，老精明鬼——我感觉好得不能再好了。准备随时对付阻截莫里亚蒂教授或者利昂·凯斯特甲尔或者是他们中间的一个。"

　　"真希望你不要再与警方、法庭有任何瓜葛，"公爵埋怨道，"你经常这么干对我来说是极其可怕的，有这样一位兄弟经常让自己处于众目睽睽之下。"

　　"很抱歉，杰拉尔德，"对方说，"我知道自己是族谱上一个令人厌恶的污点。"

　　"你怎么就不能成家安顿下来，平静的生活，而且做一些有用的事情呢？"公爵说着，满脸不让步的样子。

　　"因为那是一种毁灭，这一点你应该相当清楚。"彼得说，"除此之外，"他愉快地补充道，"我很有用的，而且会一直这样。你自己也许都需要我，杰拉尔德，如果被你抛弃的第一任妻子从西部某个地方出人意料地出现在你面前，你才会意识到在家族里有这样一个私家侦探的必要性。敏感微妙的私人事务必须以机智和谨慎予以处理。调查必须进行。离婚证据需要专业。所有的保证事项！快点，就现在。"

　　"真是头驴！"丹佛公爵说着将报纸恼怒地甩在椅子上。"什么时候需要车？"

　　"立刻。我说，杰瑞，我准备把母亲一起带走。"

　　"为什么她要掺和到这件事情当中去呢？"

　　"哦，我需要她的帮助。"

　　"应该说这样做是非常不合适的。"公爵说。

　　可是寡居的公爵夫人却没有表示任何反对意见。

　　"我过去曾经和她的关系非常好，"她说，"那时候她还只是克里斯蒂娜·福特。怎么了，亲爱的？"

　　"因为，"彼得勋爵说，"关于她丈夫的事情有个可怕的消息要透漏给她。"

"他死了吗，亲爱的？"

"是的，而且她不得不去辨认。"

"可怜的克里斯蒂娜。"

"而且我们将在不得已的非常情况下这样做，母亲。"

"我会和你一起去的，亲爱的。"

"谢谢您，母亲，您真是个热心肠的好人。您不会介意把您的东西直接带上，然后和我一块儿走吧？我在车里会告诉您关于这件事情的原原本本。"

第 十 章

　　作为一名忠实却充满疑虑的神学信徒，帕克先生非常顺利地锁定了一名医学专业的学生：那是一个身材高大而魁梧的年轻男子，就像是一只长得非常健壮的幼犬，有着一双单纯的眼睛和一张长满雀斑的脸。他坐在彼得勋爵书房里壁炉前的睡椅上。此时此刻，他正为自己所接到的差事及周围的环境，一边喝着饮料一边在心里进行着等价权衡，并为此而感到迷惑。他的味觉虽然未曾受过训练与培养，但还算天生不错，他意识到，即使他把眼前这种液体称之为一种饮料——他通常都是用饮料这个词来称呼便宜的威士忌、战后的啤酒或是在一家快餐厅里喝的一杯令人感到可以的红酒——是一种亵渎，眼前的这种东西远远超出了他正常体验之外的某种东西，是一种装在瓶子里的怪物。

　　那个被年轻人称作帕克的人，是他一天傍晚碰巧在威尔士亲王大街角落的公众大堂前遇到的，看来是个不错的家伙。帕克坚持要带他去见帕克的这位朋友，此人在皮卡迪利过着奢华的生活。帕克非常善解人意，他把他当成一位政府公职人员或者也可能是在这座城市里的某种人物安顿了下来。他那位朋友却总是令人感到尴尬。他是一位勋爵，从一开始就是这样，而且他的衣着可以说是对这个世界的公然谴责。他满嘴说的都是最愚蠢而昏庸的胡言乱语，当然，那只是让人感到慌乱不安的一种方式。他曾经对某个笑话刨根问底地追问，并以此从中获得欢快。可是他对笑话又只是一听就过，这么说吧，你还来不及准备反驳，他已经把话题转移到别的事情上去了。

他还有一名实在非常可怕的男仆——是那种只能在书本中才会见到的人，这个男仆会以沉默不语的批评把你骨头里的骨髓都冻住。帕克看上去能够承受住这样一种压力，因而这会使年轻人对帕克产生出更高的评价：他必须比你更适应这种你所认为了解到的艰难环境。年轻人会对帕克粗心大意地将雪茄烟灰吹落在地毯上感到好奇，那种地毯的价钱应该说是非常昂贵的。年轻人的父亲也曾是一名室内装潢商——皮戈特先生，来自利物浦的皮戈特和皮戈特家族——因此对各类地毯都会有大概的了解，却也清楚自己甚至无法猜测到眼前这块地毯的价钱。当他坐在沙发的角落里移动着自己靠在蓬松的丝质靠垫上的脑袋时，那种感觉会让他希望自己曾经更频繁、也更仔细地打理过自己的脑袋。那只沙发就像是一个庞然大物——可是即使如此，这个大家伙看上去好像正合适，它会让他觉得长到六英尺三英寸的确有些过于自信，他会觉得好像母亲那间新的起居室里的窗帘——所有的东西都显得那么宏大是大错特错了。但是所有的人都会对他非常体面，而且没有人会说出任何他不明白的事情，也不会嘲笑他。书架上摆满了颜色深重的图书，他会因此而仔细去研读一本摆在桌子上的大型对开式但丁著作，可是他的主人却不停地谈论着自己读的那些书本里的内容，而且显得是那么平常而具有民族感——冷不防还会提到惬意的爱情故事和侦探故事。他曾看过很多那方面的书，而且也能提出自己的看法，他们会倾听他一定要讲述的内容，尽管彼得勋爵谈论书本的时候也有其可笑的方式，那架势仿佛作者事先就已经向他吐露出一切秘密，而且还告诉了他那故事是如何组织编写而成的，以及哪个部分是最先写作出来的。他所说教的这一套会让人不由得想起老弗雷克把一具尸体分解成块状的方法。

　　"在侦探故事里我所反对的就是，"皮戈特先生说，"人们总是能记住近六个月以内所发生的美好事情，他们总是随时对自己日复一日的时光作好准备，无论那天是否下雨，他们都会在这样或那样的一天里做他们该做的事情。把一天中所有的事情依次罗列下来就像是一首诗篇。可是人们并不喜欢在现实生活中的这种状态，您也这样认为的吗，彼得勋爵？"彼得勋爵笑了笑，年轻的皮戈特立刻感到尴尬万分，转而求助于他认识得更早一些的那个人。"您知道我是什么意思的，帕克。快谈谈吧。日子总是不断地重复着，非常相似，也没有什么差别。可以肯定我无法记住——哦，或许还能记住昨天的一些事，很可能就是这样，可是如果我被点到谈论上周自己都干了些什么就不能肯定了。"

　　"对，"帕克说，"而且警方提供的证据说明看上去几乎就是不可能的。可是警方并不愿意使情况变得这样，要知道。我的意思是说，一个人不会只是说：'我在上星期五上午的十点外出去买羊排。就在我刚到莫尔提梅尔大街时，我注意到一个大约二十二岁的女孩正骑着一辆罗伊尔·尚彼姆自行车以每小时十英里的速度拐过圣·西蒙教堂和圣·米迪相汇的那个角落逆向行驶，朝市场的方向骑去。那女孩留着一头黑发，棕色的眼睛，身穿一条绿色无袖连衣裙，裙子下摆的图案是方格子。当时她的头上还戴着巴拿马式帽子，脚蹬黑色皮鞋。'整个情况归纳起来就是这样。当然，要把所有情况都探听出来还只能通过一系列提问才可能做到。"

"而且在短篇故事当中，"彼得勋爵说，"故事还常必须采用叙述的方式进行表述，因为真正的对话会显得过于漫长，而且还有很多废话，因而会显得十分沉闷，所以没有人会有耐心来听听这样的故事。如果有这样的情况发生，作家们必须考虑到读者的喜好，你必须明白这样一点。"

"是的。"皮戈特先生说，"可是我敢打赌，绝大多数人都会发现要记住这一点是很困难的，即使你问他们一些情况也是如此。我应该——当然，我知道自己有点傻，可是尽管如此，大多数人都是这样，不是吗？您知道我说的意思是什么。证人并不是侦探，他们几乎都和你我一样，只不过像白痴而已。"

"情况正是如此。"彼得勋爵说着笑了笑，可是随后他最后的一段话的威力却彻底击倒了这位并不开心的话题炮制者，"你的意思在于，如果我采用以往的方式对你提问你都干了些什么——比如说，一个星期前的今天，难道你不能马上告诉我吗？"

"不，可以肯定我不能。"他想了想，"不，那天我像平时一样呆在医院里，我认为，而且，在上星期二还有一个关于某件事情的讲座——见鬼，真希望我知道是关于什么的讲座——而且那天傍晚我和汤米·普林格尔外出了——就这样，那天应该就是星期一——或者可能是星期三吗？我只能告诉您，我无法发誓保证什么。"

"你对自己就不公平。"彼得勋爵严肃地说，"可以肯定，比如，回忆一下那天你在解剖室里都做了一些什么工作，举个例子来说。"

"勋爵，不！不能肯定。我的意思是，我敢说如果让我长时间思考，我会想起来到底是怎么回事，但是我不愿意在法庭上发誓能肯定这样发言。"

"我可以用半个皇冠对六个便士与你打赌，"彼得勋爵说，"你在五分钟之内就能想起来。"

"可以肯定我不能。"

"还是瞧瞧看吧。你是否对你进行解剖时的工作作了记录呢？画一些图或是别的什么？"

"噢，是的。"

"想一想那些东西。你在记录里记的最后的事情是什么？"

"很容易，因为我今天早晨还刚刚做过。最后解剖的应该是腿部的肌肉。"

"是的。那是什么人的尸体？"

"像个老太太，死于肺炎。"

"好的。现在在你脑海中回忆一下你画图记录的本子里的那些内容。在对腿部的肌肉解剖以前干了什么？"

"噢，解剖一些动物——还是腿部，目前我在做的是动力肌肉方面的解剖。是的，那是坎宁安老先生就比较解剖学所作的展示。我对一只兔子的腿进行解剖时费了好大一阵工夫，而且还对一条蛇的根部腿进行了解剖。"

"好。坎宁安先生的讲座是哪一天？"

"星期五。"

"星期五，好的。再往前回忆。在那以前干了什么？"

皮戈特先生摇了摇头。

"你所画的腿是从右边那一页开始的还是左边那一页开始的？你能想起第一幅画吗？"

"可以——可以——我能记起写在那一页上方的日期。那是一只青蛙后腿的一段，画在右边的一页上了。"

"好的。想想你脑子里打开的那本书，再看看，那一页对的面画是什么？"

这个问题需要注意力集中起来。

"大约是个——上了色——噢，是的——是一只手。"

"好的。你进行的解剖是从手的肌肉到胳膊，再到大腿和脚的肌肉，对吗？"

"是的，正是如此。我还画了一套胳膊的图。"

"好的。你是上个星期四画的那些图吗？"

"不，我星期四从来不去解剖室。"

"可能是星期三吧？"

"是的。我应该是在上个星期三画的那些图。是的，我就是那天画的。那天上午看过一些破伤风病人之后我就去了解剖室。我是星期三下午画的那些图。我记得自己回到那里是因为我想把那些图画完。我工作得非常努力——为了自己。这正是我为什么能记住的原因。"

"好的。你回去画完了那些图。那么，你是什么时候开始画的？"

177

"怎么了，在前一天。"

"前一天。那是星期二，是吗？"

"我已经算不过来了——是的，星期三前的那一天——是的，星期二。"

"好的。那胳膊是一个男人的胳膊还是一个女人的胳膊？"

"哦，是一个男人的胳膊。"

"好的，上星期二，一个星期前的今天，你在解剖室里解剖一个男人的胳膊。收下这六个便士吧。"

"天啊！"

"稍等一会儿。你知道的一定比这些情况多多了。你根本不清楚你自己到底知道多少。你还知道那是什么样的男人。"

"哦，那个人我从来没见过完整的，您知道。那天我是比较晚的时候才到解剖室，我记得。在那之前我曾专门提出要求对一只胳膊进行解剖，因为我在这方面的解剖比较弱——而且沃茨——他是管理员——曾经答应过给我留一只胳膊。"

"好的。你到那里时已经晚了，而且发现你所要的胳膊正等着你。于是，你便对那只胳膊进行了解剖——用你的解剖刀割开皮肤，然后再缝合好了。那只胳膊显得很年轻，而且皮肤也非常好吗？"

"哦，不——不。那只是普通的皮肤，我认为——上面还长着黑毛——是的，就是那样。"

"好的。是一只精瘦而多筋的胳膊，也许没有一处有额外的脂肪吧？"

"噢，不——我对那只胳膊感到非常恼火，我原来想要一只健壮而肌肉发达的胳膊，可是那只胳膊可怜得根本就不发达，而且还有不少脂肪挡着我解剖进行的程序。"

"好的，那是一个不怎么干体力活而是经常坐着工作的人。"

"正是。"

"好的。于是你解剖了那只手，而且还画了下来。可能你还发现了一些坚硬的老茧。"

"哦，根本没有硬茧。"

"不会吧，可是你不是说那是一个年轻人的胳膊吗？健壮而年轻的肉体，还有灵活的关节，对吗？"

"不，不。"

"不是那样啊。那是上了一定年纪而且筋比较多吧？"

"不，应该是中年人——还有风湿病。我的意思是，在关节上有白垩状淤积物，而且手指也有些肿胀。"

"好。一个大约五十岁的男人。"

"大概就是这样。"

"好的。还有其他学生对同一尸体进行解剖。"

"哦，是的。"

"好的。而且他们也拿这具尸体开起了平常开的玩笑。"

"希望如此——哦，是的！"

"你能记住几个同学的。这么说，你认为谁是当时可笑而滑稽的伙伴？"

"汤米·普林格尔。"

"汤米·普林格尔当时在干什么？"

"记不清楚了。"

"汤米·普林格尔进行解剖时大概是在什么地方？"

"就在器具柜那头——靠近水槽 c。"

"好的。在你的脑海里想一想汤米·普林格尔当时的样子。"

皮戈特开始大笑起来。

"我现在想起来了。汤米·普林格尔说这是个油光粉面的老家伙。"

"他为什么把死者叫做油头粉面的老家伙呢？"

"我不知道。可是我知道他的确那样叫了。"

"或许他看上去就那样。你看过他的脑袋吗？"

"没有。"

"谁拿了脑袋呢？"

"我不知道——哦，对了，我想起来了。老弗雷克自己把那个脑袋装在了袋子里，而且那个小个子吹牛王宾斯对此非常生气，因为他已经得到承诺用一个脑袋来对付那个老吝啬鬼。"

"我知道了。朱利安爵士是怎么处理那脑个袋的呢？"

"他把我们召集在一起，然后给我们一直分析脊椎出血和神经损伤问题。"

"好的。就这样吧，再回到汤米·普林格尔身上。"

于是汤米·普林格尔的笑话又重复了一遍，而且并不是没有一点尴尬存在。

"很好。所有情况就这样吗？"

"不。与汤米一起干活的那个家伙说这个家伙吃得太多。"

"我猜想汤米·普林格尔的同伴对消化道很感兴趣。"

"是的，而且汤米说，如果他早想到他们像那样喂养那个死者，他自己也会到济贫院去。"

"济贫院的穷人常常都很胖而且吃得很好吗？"

"哦，不——想想，通常也并不是这样。"

"实际上，让汤米·普林格尔和他的朋友感到震惊的是这样一种人会出自一所济贫院，是吗？"

"是的。"

"而且如果消化道的情况对这些先生们来说如此有趣的话，我猜想这具尸体在他死前不久饱饱地吃过一顿。"

"是的——哦，是——他不得不这样，对吗？"

"哦，我可不清楚。"彼得勋爵说，"要知道，那是你所研究的范围里的问题。这些都是你从他们嘴里所说的话中作出的推断。"

"哦，是的。毫无疑问。"

"好的。你不希望，比方说，他们作出那样的评论，因为如果病人病了很长时间，而且一直吃的是让人没有任何食欲的流质食品的话。"

"当然不希望。"

"哦，你知道，其实你对一切都了解得非常清楚。上星期二那天，你解剖了一只胳膊的肌肉，死者是一个患有风湿病的中年犹太人。此人有经常坐着的习惯，而且他是在饱餐一顿之后不久死的。他是因为受伤引起脊椎大出血，神经也受到了损伤，等等这些情况，而且他被大家普遍认为是从济贫院里出来的，是吗？"

"是的。"

"如果需要的话，你愿意为这些情况作证吗？"

"哦，如果您这样说，我想我能作证。"

"你当然可以。"

皮戈特先生坐着仔细地想了一会儿。

"我说，"他最后说，"我的确想起来了当时的一切，是吗？"

"哦，是的——你记得非常清楚——就像索克莱特斯的奴隶一样。"

"他是谁？"

"我还是个孩子的时候曾经读过的一本书里的人。"

"哦——他是在庞贝①最后的日子里出现的人吗？"

"不——是另一本书——我敢说你从来就没看过这本书。非常乏味的一本书。"

"在学校里，除了《亨蒂与芬尼摩尔·库珀》以外，我没看过太多书，可是——尽管如此，我还是有着相当出色的记忆力，对吗？"

"你的记忆力比你对自己的评判要好得多。"

"那我为什么记不住医学方面的那些内容呢？那些东西在我脑子里什么也没记住。"

"哦，为什么你记不住呢？"彼得勋爵说着在壁炉前的地毯上站起身来，微笑着盯着他这位客人。

"哎，"眼前这位年轻人说，"那些对学生进行检测考查的人从不提出像您提出的这些问题。"

"不这样吗？"

"不——他们只会让你独自去记住所学的一切，而且那

---

① 庞贝是意大利古城。——译注

的确太难了。没有任何东西能记得住，难道您不明白吗？可是，我说——您怎么知道汤米·普林格尔是个有趣的家伙，而且——"

"我原先并不知道，直到你把那些情况讲出来我才知道的。"

"是的，我明白了。可是您怎么知道他会在那里呢，如果您的确提出问题的话？我的意思是说——我说，"皮戈特先生说，他像是受到影响一般突然变得成熟起来，"我是说，是您太聪明了，还是我太愚蠢了呢？"

"不，不，"彼得勋爵说，"问题在我身上。我总是在问一些愚蠢的问题，所有的人都会认为我肯定觉着他们身上存在某些问题。"

这番话对于皮戈特先生来说可谓太深奥了。

"别放在心上，"帕克安慰道，"他总是这个样子。你不必太在意。他总是情不自禁地有这种举动。那是年老体衰过早出现的反应，他的这种做法也经常受到家族世袭立法者的批判。说点别的吧，温姆西，然后给我们表演一下乞丐剧，或者干点别的。"

"那太好了，不是吗？"彼得勋爵说，此后已经开始高兴的皮戈特先生在度过一个真正愉快的夜晚之后启程回家了。

"我也担心这样。"帕克说。"可是情况看起来简直令人难以置信。"

"就人性本身而言没有任何令人难以置信的事情。"彼得勋爵说，"至少，就受过教育的人性本身来说就是如此。你已经办好掘尸手续了吗？"

"我弄明白就能办好手续。我原先考虑明天下午去向解剖室里的那些人了解情况的。现在我必须先去看看他们。"

"你说得完全正确。我会让母亲了解这些情况的。"

"我开始喜欢上你了,温姆西,我并不喜欢这个工作。"

"我却比从前更热爱这项事业了。"

"你真的肯定我们没有弄错吗?"

彼得勋爵从房间这头溜达到窗户边,此时窗帘并没有完全拉上,于是他站在窗帘跟前,透过窗帘的缝隙注视着灯火通明的皮卡迪利。听到帕克的这番话,他转过身来。

"如果弄错了,"他说,"我们明天就会知道,而且不会引起任何损伤。但是我更愿意相信你在回家的路上会接到一些确信的消息。看吧,帕克,知道吗,如果我是你,今晚就在这里过了。还有一间空闲的卧室,我可以为你简单收拾一下。"

帕克紧紧盯住他。

"你的意思是——我可能会遭到袭击吗?"

"我认为情况的确有可能是这样。"

"大街上还有人吗?"

"现在没有了,但是半小时以前还有。"

"皮戈特离开的时候吗?"

"是的。"

"我说——我希望这个孩子不会遇到什么危险。"

"那正是我要下去了解的情况。我认为他不会遇到危险。事实上,我认为没有人会想到我们能准确地找到一个像皮戈特这样了解情况的密友。可是我认为你和我同样都处于危险之中。你愿意留下吗?"

"如果愿意才见鬼呢,温姆西,我为什么要逃开?"

"胡说!"彼得说,"如果相信我的话,要逃开很正常，而且为什么不呢？你并不相信我所说的。事实上，你对我是否已经采取了正确的行动方案并不敢肯定。平平安安地走吧，但千万别说我没有警告过你。"

"不会的，我会用自己临近死神的呼吸来传达消息，说明我对你完全信服了。"

"好吧，别步行——要一辆出租车吧。"

"好的，我会那样做的。"

"而且不能让其他任何人上你的车。"

"不会的。"

这是一个阴冷潮湿，令人感到郁闷的夜晚。一辆出租车从一边的公寓街区口的剧院返回来了，下来几个人，帕克便很快为自己顺利地拦住了这辆车。他正要向司机报出要去的地方，这时一名男子急匆匆地从旁边的一条街道朝这边跑来。此人穿着晚装和外套。他不顾一切地向前冲过来，一边拼命地挥动着胳膊。

"先生——先生！——天啊！哦，是帕克先生！真是太幸运了！但愿您是好心肠——从俱乐部接到召唤——有个生病的朋友——找不到出租车——所有的人都从剧院出来要回家——如果我能与您共用您这辆出租车——您正准备回到布鲁姆布里吗？我想去鲁塞尔广场——如果我能推测——事关生死的大事。"

他气喘吁吁地说，仿佛他一直在狂跑，而且还跑了很远的路程。帕克立即从出租车里钻了出来。

"很高兴能为您服务，朱利安爵士。"他说，"就用我的出租车吧。我自己到克莱温大街去好了，而且我也不着急。请用这辆出租车吧。"

"您真是太好了。"外科大夫说，"我很惭愧——"

"没关系的，"帕克愉快地说，"我可以等的。"他帮着弗雷克钻进了出租车。"多少号？鲁塞尔广场二十四号，司机，看准了。"

出租车一溜烟开跑了。帕克又重新爬上了楼，之后摁响了彼得勋爵的门铃。

"多谢了，老伙计，"他说，"无论如何，我今天晚上要住下了。"

"进来吧。"温姆西说。

"一切你都看见了？"帕克问。

"我看见了一点情况。到底发生了什么情况？"

帕克把他刚才遇到的情况复述了一遍。"坦率地讲，"他说，"我始终认为您有点发疯，可是现在我还不能对事情完全肯定。"

彼得哈哈大笑起来。

"愿上帝保佑那些虽未曾见证事实但已经完全信服的人。邦特，帕克先生今晚要留住在此。"

"想想吧，温姆西，我非常反对那种认为鸡蛋属于肉类的想法。"

"我也是这样，老小伙子。那也正是我为什么想要仔细调查了解我们那个切尔西乞丐的原因所在。可是，还是先提出你的反对意见，让我想想吧。"

"那么——"

"这样吧，瞧一瞧，我不想假装自己能够把所有的空白都填满。可是我们知道在同一个晚上发生了两个案件，而且这两个案件都与一件事情联系在一起。情况看上去的确让人感到非常棘手，但并非不可想像。"

"是的，这些我都知道。可是的确也有一两个非常确定的绊脚石。"

"是的，我知道。可是，你看看。一方面，利维在九点钟被人看见在四处寻找威尔士亲王大街之后便消失得无影无踪。第二天上午八点，一个从大致外形来看也并不是不像他的死人却被人发现在卡罗琳皇后公寓的一只浴缸里。利维是在经过弗雷克自己同意的情况下去拜访弗雷克的。通过了解到的情况，我们知道从切尔西济贫院里收到一具尸体，尸体的体貌特征与巴特西发现的尸体在自然状态上的情况描述相符，而且这具尸体是于同一天送到弗雷克那里。我们对利维了解的只是过去的情况，而对他后来的情况就像真实情况发生的那样一无所知，而弗雷克就介于所有的未来与过去之间。"

"情况看上去就是这样——"

"是的。现在，进一步：弗雷克有除掉利维的动机——一种长时间的嫉妒。"

"很久了——而且并没有太多动机。"

"要干这种事情的那个人士早已为众人所熟知。①你始

---

① 彼得勋爵对其意见并非没有权威性的说服力："关于那个获得认定的动机，很重要的一点就是认识到是否存在实施这种罪行的动机，或者是否没有动机，也或者会有不大可能的情况，那就是犯罪实施的过程不会像用确定无疑的证据进行说明时的情况那样明显。可是如果有可能确定任何动机，我敢肯定地告诉你那个动机是否具有充分的理由其实无关紧要。我们知道，从刑事法庭上获得的经验说明，往往残酷罪行的实施都始自于极其微小的动机，不仅仅是因为怨恨与复仇，而是要获得一种在金钱上微不足道的优势，并驱逐走某种暂时受到压制的困难。"——原注

终会认为人们不会将这种妒嫉的心理保持长达二十年之久。也许并非如此。不仅仅是原始而毫无理性的嫉妒，那意味着一句承诺和一种打击。但是引起怨恨的原因在于伤害自尊心，如此怨恨就会持续下来。耻辱。而且我们每个人都有一个我们自己不愿意去触及的伤口。我本人也有。你也有。一些曾经遭遇过挫折的人会说，只有混蛋才会像女人一样受到嘲弄却不知道恼怒。性是令所有男人发疯的发源地——不必为此感到恼火，你应该清楚这是事实——他会认可失望，但是却无法容忍耻辱。我曾经认识一个过去曾遭到拒绝的男人——并不是一个太宽厚的人——被一个他已与之订婚的女孩拒绝了。他会很体面地谈到她。我问过她后来的情况怎么样。'哦，是的！'他大叫起来，'想想这件事——被她抛弃了，而她却嫁给了一个苏格兰男人！'我不明白他为什么不喜欢苏格兰人，但那正是触及他痛处之所在。我们来看看弗雷克。我看过他写的书。他对自己的对手进行攻击时非常猛烈而且毫不留情。他是科学家，可是他无法容忍反对，甚至连工作中的不同意见也无法容忍，而他又工作在一个即便所有上等人都会极其疯狂而且头脑开放的地方。你是否认为他是一个能从有偏见的人身上受到打击的人呢？对于一个男人极其敏感的偏见？要知道，人们对于那些偏见总是有些固执己见的。如果有人对于我就一本书的判断提出异议的话，我会感到恼怒的，而利维——二十年前他还什么都不是——却能轻而易举地插一杠子从弗雷克的鼻子尖下夺走了他的女朋友。让弗雷克感到恼怒的并不是那个女孩子——而是因为他的贵族身份不敌一名什么也不是的区区犹太人。

"还有一件事。弗雷克还有另外一个偏见。他喜欢犯罪。在他那本关于犯罪学的书里，他以幸灾乐祸的口吻描绘了一名凶残的杀人犯。我发现了这一点，而且我还发现，无论他什么时候写到一个麻木不仁却屡屡得手的犯罪分子时，在他的字里行间里总会闪烁着敬仰的光芒。他对那些受害人或者悔罪者，也或者是那些掉了脑袋之后又被找到的人却抱着极大的蔑视。他的主人公是爱德蒙德·德·拉·帕姆梅里斯，此人能说服自己的夫人变成谋杀她自己的同谋；还有就是拥有浴缸新郎大名的乔治·约瑟夫·史密斯，他能在夜间与自己的夫人热情洋溢地交欢，可是却在早晨实施阴谋将大人残忍杀害。毕竟，他认为良心只是类似阑尾一样的东西，割掉它你会感到浑身舒服得多。弗雷克知道利维的家。他是一个长着茶褐色头发的人，比利维矮小，可是矮得并不很多，因为他能穿上利维的衣服却并不显得荒唐可笑。你也见过弗雷克——你知道他的身高——大约五英尺十一英寸，我推测，而且他长着一头长长而浓密的茶褐色头发。他可能戴着外科手套：弗雷克就是外科大夫。他是一个很有条理且非常有胆识的男人：外科大夫都必须大胆而有条不紊。现在来看另一个方面。那个得到巴特西尸体的男人必须有接近尸体的渠道。弗雷克显然有机会接近死尸。他必须冷静、迅速而麻木地处理一具死尸。外科大夫完全能做到这些。同时，他还必须是个健壮的人，这样才能携带着死尸穿越过几间房子的房顶，然后将尸体倒进西普斯家的窗户里。弗雷克是个强壮有力的人，而且他还是登山俱乐部的成员之一。他极有可能戴着外科手套，用外科绷带将尸体从房顶上滑下来。这一点又一次将矛头指向了外科大夫。毫无疑问，此人必须居住在附近。弗雷克就住在隔壁。你见过的那个女孩曾经听到房屋末端的顶上传来"砰"的一声。那里正紧挨着弗雷克家的房子。我们每次观察弗雷克，他总是会将我们的目光引向别的地方，可是米利根和西普斯以及克里姆普尔汉，还有其他所有我们有幸怀着疑惑去调查的人都不会把我们引向别处。"

"是的。但情况并不会像你所判断的这样简单。星期一夜里利维以那样可疑的举止去弗雷克家里干了些什么？"

"哦，你已经有了弗雷克的情况说明啊。"

"荒唐，温姆西。你自己说过那没什么用。"

"很好。那的确没用，所以弗雷克一直在撒谎。他为什么要对此撒谎呢，是不是他有目的想把真相隐藏起来呢？"

"可是，为什么最终还是要这样提及此事呢？"

"因为利维——与一切期望相反的情况是——曾经在马路的那个角落里被人看见过。这一点对于弗雷克来说是个非常闹心的意外。他认为最好是事先解释清楚——用各种理由。当然，他认为没有人甚至会把利维与巴特西家园案件联系起来。"

"哦，那么，我们还是先回到第一个问题。利维为什么会去那里呢？"

"我并不清楚，可是从某种程度上说他是被动去了那里。为什么弗雷克要买下佩鲁维安石油股的很大一部分股票呢？"

"不知道。"这一次轮到帕克说话了。

"无论如何，"温姆西继续说，"弗雷克在等着他，而且安排好让他自己进了房间，所以卡明斯没有看见上门拜访的人到底是谁。"

"可是来访的人在十点的时候又离开了。"

"哦，查尔斯！我没想到你会这样认为。这绝对只是设想。谁看见他走了？有人说'晚安'，然后便走出去，到了大街上。而且你相信那个人就是利维，因为弗雷克并没有以他平常的方式那样走出来解释说那个人不是利维。"

"你的意思是说弗雷克从房子里愉快地来到家园小巷，而且把利维留了下来——死了或者活着——让卡明斯发现吗？"

"我们从卡明斯的谈话中了解到，他并没有做那样的事情。从房子里走出去的脚步声响讨几分钟之后，弗雷克摁响了书房的铃，而且告诉卡明斯晚上把门锁好。"

"那么——"

"哦——房子还有一个暗门，我想——实际上，你知道有这样一个暗门——卡明斯曾经说到过这种情况——通过这个暗门就能通向医院。"

"是的——那么，利维当时在哪里呢？"

"利维上楼进了书房，之后便再也没有下来。你曾经去过弗雷克的书房。有可能的话你会把他放在哪里呢？"

"放在隔壁我的卧室里。"

"那么，那里正是他放利维的地方。"

"可是想一想管家还进去收拾过床铺呢？"

"床铺通常是由管家收拾的，但在十点以前一点。"

"是的……可是卡明斯整个晚上都听到弗雷克呆在房子里的声音。"

"他听见他进进出出了两三次。无论如何，他希望卡明斯听见自己的声音。"

"你的意思是说弗雷克在凌晨三点之前便完成了所有的工作？"

"为什么不？"

"快速的工作。"

"哦，可以称之为快速的工作。除此之外，为什么是三点呢？卡明斯再也没见到他，直到八点叫他吃早饭的时候才再次见到他。"

"可是他在三点的时候洗了澡。"

"我并没有说他三点以前没从家园小巷回来。可是我认为卡明斯也不会走到门边透过浴室的锁孔去看看他究竟在不在浴室里。"

帕克再次沉思了起来。

"克里姆普尔汉的夹鼻眼镜又是怎么回事？"他问。

"那正是神秘之处。"彼得勋爵说。

"而且为什么会在西普斯的浴室呢？"

"为什么，真的？纯粹是意外，也许——或者完全是恶作剧。"

"你认为这一切精心策划的阴谋能在一个晚上发生吗，温姆西？"

"远远不止于此。从那个与利维长得非常相像的男子走进济贫院的那一刻起，阴谋就有了雏形。他对阴谋酝酿了好几天。"

"明白了。"

"弗雷克是在调查进行的过程中无意间暴露出自己来。他和格林姆波尔德对那个病人生病时间的长短发生了意见分歧。像格林姆波尔德这样的小个子男人（相对而言）假设要坚持与像弗雷克这样的男人不一致的意见，那是因为他对自己的判断非常肯定。"

"那么——如果你的理论是合理的——弗雷克就有失误。"

"是的，一个非常不起眼的失误。他时时刻刻在防守，用完全不必要的谨慎，防范着任何人在思想上有丝毫念头的产生——比如说，那位济贫院大夫的意见。直到那时，他一直都注意到的事实就是人们不会认为再次提到的任何事（也可能是人）会有理由可以解释。"

"是什么使他丧失了清醒的头脑？"

"一连串意想不到的意外。利维很快就会得知——我母亲的儿子还愚昧地在《时代》上表明他与巴特西疑案的联系——帕克侦探（此人的照片近来在那家著名的报刊上一直非常抢眼）在调查会上被人发现就坐在丹佛公爵老夫人的身边。他一生的目标就是要防止这一事件的两端联系在一起。可是这两种联系确确实实地紧紧联在了一起。很多罪犯最终都栽在了过度谨慎之上。"

帕克沉默了。

第十一章

"啊，又是往常那种黄色的浓雾。"彼得勋爵说。

帕克烦恼地咕哝着，随后便满脸不高兴地挣扎着套上了一件外衣。

"如果可以这样说的话，"爵爷继续说，"在我们的协作中，所有枯燥乏味的日常工作都是由你完成的。这给了我极大的满足。"

帕克又咕哝了一下。

"对于搜查令的事你认为会有困难吗？"彼得勋爵询问道。

帕克再次咕哝了一下。

"我想你已经注意到此事的一切目前都处于平静状态之中，是吗？"

"当然。"

"你已经封住济贫院里那些人的嘴了吗？"

"当然。"

"而且还有警方呢？"

"是的。"

"因为，如果还没有这样做，很可能就没有人可逮捕了。"

"我亲爱的温姆西，你认为我是个傻瓜吗？"

"我从没这样想过。"

帕克最后嘟囔了一下便离开了。

彼得勋爵坐下来仔细阅读起他的但丁。可是这样却并没有给他带来丝毫安慰与快感。凭借着从公立学校所受到的教育去当一名私家侦探，彼得勋爵在他的职业生涯里已经受到了牵制。尽管经常受到帕克温和的劝慰，他总是无法不把这种情况当成一回事。他的思想早在幼年成长的时候就受到拉尔夫尔斯和歇洛克·福尔摩斯的歪曲，或者说受到他们所代表的那种感伤情绪的影响。他属于一个从来没有中过弹的狐狸家族。

"我只是一名业余爱好者。"彼得勋爵说。

尽管如此，他在沉思与翻阅但丁作品的时候，还是下定了决心。

下午的时候，他发现自己来到哈里大街，朱利安·弗雷克爵士星期一与星期五会从两点到四点就人的神经问题进行开诊咨询。彼得勋爵摁响了门铃。

"您预约过吗，先生？"开门的人询问道。

"不，没有。"彼得勋爵说，"可是你能把我的名片交给朱利安爵士吗？我认为有可能不用预约他也会见我的。"

他在那间装饰华美的房间里坐了下来，朱利安爵士的病人们都在这里等候着他的康复建议。房间里挤满了人。两三个打扮入时的女人正在兴致勃勃地讨论着逛街和仆人之类的琐事，而且一边逗弄着一只玩具一样的粗毛短绒比利时猎狗。一位身材高大而看上去满脸焦虑不安的男人独自坐在一个角落里不时看着手表，他看手表的频率几乎是能达到一分钟二十次。彼得勋爵一眼就认出了他。此人叫温特林顿，是一位百万富翁，此人在几个月前曾企图自杀。他控制着五个国家的金融，可是却无法控制住自己的神经。五个国家的金融业就掌握在朱利安·弗雷克爵士万能的双手之中。壁炉边上坐着一个军人模样的年轻男子，年纪与彼得勋爵不相上下。他的脸过早地布满了皱纹和沧桑。他笔直地坐在那里，哪怕是极微小的任何响动，他那双焦虑不安的双眼也会立刻朝响动的方向投射过去。沙发上坐着一位上了年纪的老夫人，看上去满脸谦和的样子，她的身边还带着个年轻的女孩子。那个女孩看上去无精打采的，而且非常沮丧的样子，老妇人则表现出深切的关爱，焦急之下蕴涵着一种怯生生的希望。离彼得勋爵较近的地方是另外一个更年轻的女人，也带着个小女孩。彼得勋爵注意到这两个人都长着宽宽的颧骨，美丽的灰色眼睛是斯拉夫人所特有的斜眼角。那孩子始终在焦躁不安地到处移动着，刚好踩在了彼得勋爵穿着专利品牌皮鞋的脚趾头上，而孩子的母亲在转身对彼得勋爵赔礼道歉之前先用法语警告起孩子。

"没关系的，夫人。"这位年轻男子说，"无关紧要。"

"她很紧张，可怜的孩子。"年轻女子说。

"您是来为她寻求治疗方案的吗？"

"是的。他很出色，这位大夫。相貌与您本人有一点相像，先生。她无法忘掉，可怜的孩子，她所见过的一切。"她朝他靠得更近一些，这样一来那孩子就可能听不见她所说

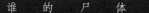

的话了。"我们逃了出来——从饥饿的俄国——六个月以前。我不敢告诉您——她有着一对机敏的耳朵，于是，那些哭喊声，颤抖声，大笑声——那些声音又全都开始了。我们来到这里的时候已经瘦骨如柴了——我的主啊！——可是现在情况好多了。您看，她的确很单薄，可是她不再挨饿了。要不是因为精神方面的问题使她无法吃东西，她会更胖一点的。我们这些年龄大一些的人，我们忘了——算了，我们学会了不再去想了——可是这些孩子们！人在年轻的时候，所有的一切都会留下深刻的印象。"

彼得勋爵放弃了英国人良好的形象束缚，用同样的语言来表达自己的思想，在那样一种语言中，同情不是告白，而只能保持缄默不语。

"可是她好多了，好多了。"这位母亲自豪地说，"伟大的大夫，他干得简直太出色了。"

"这是一个可贵的男人。"彼得勋爵说。

"啊，先生，他是一位创造奇迹的圣人！我们为他祈祷，娜塔莎和我，每一天。是不是，亲爱的？而且想一想，先生，他所做的一切，这个伟大的人！这个男人没有做过任何表白。刚到这里来的时候，我们甚至衣不遮体——我们被毁灭了，饥饿难耐。破衣烂衫的我们也出身于好人家——但是很遗憾，先生！在俄国，正如您所知，这只能带来凌辱——污蔑。算了吧！伟大的朱利安爵士看见了我们，他说：'夫人，您的小女儿对我很感兴趣。什么也不必多说了，我会治好她而且分文不收——为了她美丽的眼睛。'啊，先生，这是位圣人，一位真正的圣人！而且娜塔莎现在好了很多，很多。"

"夫人，我应该祝贺您。"

"那么您呢，先生？您很年轻，哦，健壮——您也有痛苦？仍旧是因为战争引起的问题，是吗？"

"弹震症。"彼得勋爵说。

"啊，是的。这么优秀，勇敢的年轻人——"

"朱利安爵士能为您腾出几分钟时间，我的先生，如果您现在愿意进来的话。"仆人说。

彼得勋爵对他的邻座欠了欠身体，穿过候诊室向里面走去。咨询室的门在身后闭合的时候，他回想起自己曾经走进一间经过伪装的德国军官参谋室。他经历过同样的感受——落入陷阱中的感觉，一种虚张声势与耻辱交织在一起的感觉。

他曾经隔着一定距离远的地方见过几次朱利安·弗雷克爵士，可是却从来没有近距离见过面。现在，就在仔细而真实地详细描述他最近出现的神经性弹震症发作的情况时，他思考起面前的这个男人。此人比他本人的个头稍微高一点，宽大的肩膀，还有一双非常巧妙的手。一张漂亮的脸庞，充满热情而没有人性。浓密的茶褐色头发与胡须之间闪亮着一双充满自信、咄咄逼人而令人信服的蓝眼睛。那双眼睛并非家庭医生那种镇定而亲切的眼睛，而是获得灵感的科学家所拥有的那种沉闷而深邃的眼睛，而且是一双能把人看透的眼睛。

"就这样，"彼得勋爵思索着，"无论如何，我不能说得很明确。"

"好吧，"朱利安爵士说，"是的。您一直工作得非常辛苦，所以您的大脑迷惑了。是的。也许比这种情况更多的情况是——使您大脑感到烦恼，我们可以这样说吗？"

"我认为自己不得不面对一个非常惊人的意外事件。"

"是的，也许是意外事件。"

"非常意外，的确。"

"是的，随后又是一段时间脑力与体力的双重重荷。"

"哦——也许。无一例外。"

"是的。那个意外事件——对您本人而言是关于个人方面的吗？"

"对于我个人的行动而言，这需要作出迅速的决定——是的，从这个角度上说的确是个人方面的事情。"

"的确如此。毫无疑问，您不得不担当起一些责任。"

"一个十分严肃的责任。"

"会影响到您身边的其他人吗？"

"对另一个人具有致命的影响，而对很多人会产生间接的影响。"

"是的。时间是晚上，您一直坐在黑暗之中吗？"

"开始并非如此。我想后来熄了灯。"

"真是如此——这种举动自然会像您提出的建议自身。您当时感到温暖吗？"

"我想当时炉火已经熄灭了。我的仆人告诉我说，我去找他的时候牙齿始终在打颤。"

"好的。您住在皮卡迪利吗？"

"是的。"

"夜间有时候会有重型交通运输车辆经过，我想。"

"哦，很频繁。"

"正是这样。现在您所指的决定——您已经作出了决定。"

"是的。"

"您已经下定决心了吗？"

"哦，是的。"

"您已经决定采取行动了，无论那是怎样的行动。"

"是的。"

"是的。那可能会造成一段时间不采取任何行动。"

"只是相对而言的不采取行动——是的。"

"只是怀疑，可以这样说吗？"

"是的——只是怀疑，当然。"

"可能还会有危险存在吗？"

"我当时并不清楚整件事就在我脑海里。"

"不——那只是一个事件，而您身处其中不可能考虑到自己。"

"但愿您喜欢这样对待此事。"

"的确如此。是的。您在一九一八年时常常出现这样的发作吗？"

"是的——有几个月我病得十分厉害。"

"好的。打从那以后，这些精神方面的发作就没那么频繁了吗？"

"少多了。"

"好的——最后一次发作是什么时候？"

"大约九个月以前。"

"在什么情况下？"

"我当时正在为一些家庭琐事所烦恼。是关于决定一些投资的问题，而且我负有很大的责任。"

"好的。去年，我认为您对警方的一些案件非常感兴趣，是吗？"

"是的——是在亚坦布里勋爵祖母的绿项链一案中。"

"那个案件涉及相当严峻的脑力劳动吗？"

"我推测正是如此。可是我非常喜欢。"

"好的。解决问题需要很大的努力是不是伴随着身体上的不良结果呢？"

"没有。"

"没有。您很感兴趣，但却并不悲伤。"

"的确如此。"

"好的。您已经开始对另一个案件进行调查了，是吗？"

"是的。一点小小的案件。"

"对您的健康有不良后果吗？"

"一点都没有，而是恰恰相反。我把调查案件当成一种消遣。战争刚过不久我曾遭到一次非常残酷的打击，这种打击没有给我带来任何好处，您有所不知。"

"啊！您尚且未婚吧？"

"是的。"

"未婚。您是否允许我给您作个检查？只要靠灯光近一点。我想看看您的眼睛。至今您一直在采用谁的建议？"

"詹姆斯·霍奇斯爵士。"

"啊！好的——他是医学界的一个悲哀的损失。一位真正伟大的人——一个真正的科学家。好的，谢谢您。现在我想用这种小发明对您进行检测。"

"这是用来干什么的？"

"就这样——就这样。"朱利安爵士愉快地说,"只是下次要先预约。这些天来我忙坏了。希望您的母亲身体健康。在巴特西的调查会上我看见了她。您应该也在场。您可能对那个案件很感兴趣。"

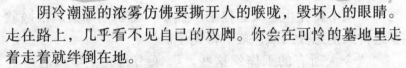

第十二章

　　阴冷潮湿的浓雾仿佛要撕开人的喉咙，毁坏人的眼睛。走在路上，几乎看不见自己的双脚。你会在可怜的墓地里走着走着就绊倒在地。

　　手指紧紧攥着帕克那件旧军服外套感觉会要舒服一点，而且你会感觉来到了更糟的地方。因为担心自己会被孤立起来，现在就只能抓紧不松手。前面走动的那几个悲伤的人就像无法摆脱的邪恶幽灵。

　　"小心，先生们，"从黄色的昏暗中传来一个没有任何声调而且冷漠的声音，"在附近有一个敞开的墓地。"

　　于是偏离到一边转向右侧，结果却走到一块新翻的黏土里踉跄前行。

　　"坚持，站稳了，老伙计。"帕克说。

　　"利维夫人在哪里？"

　　"在停尸房里，丹佛公爵老夫人与她在一起。你母亲真是太棒了，彼得。"

　　"是吗？"彼得勋爵说。

有人提着一只昏暗的蓝灯笼在前方挥舞，而且站在原地一动不动。

"到了。"一个声音说。

那两个拿着干草耙子的身形隐隐出现了，看上去仿佛就像但丁著作里描绘的人。

"完工了吗？"有人问。

"很快就完工，先生。"两个精力过人的人再次举起干草耙子——不，是铁锹——干起活来。

有人打了个喷嚏，帕克找到打喷嚏那个人所在的位置，然后介绍起这个人来。

"莱韦特先生是家庭秘书。彼得·温姆西勋爵。很抱歉在这种天把您拽出来，莱韦特先生。"

"今天所有的工作就这些。"莱韦特先生沙哑着声音说。他的脸用布蒙着，一直蒙到了眼睛的下方。

铁锹的声音持续了很有几分钟，随后传来铁质工具扔在地上的嘈杂声。那两个精力过人干活的伙计弯腰驼背站在那里，身体也因过度劳累而变了形。

旁边有个长着黑胡子幽灵一般的人。介绍一下，原来是济贫院的主事。

"这是非常痛苦的事，彼得勋爵。请原谅，我倒希望您和帕克先生没准儿是弄错了。"

"我也希望如此。"

有人长叹了口气，然后费劲地从地上爬起来。

"镇定，先生们。这边。看得见吗？小心那些墓穴——墓穴密密麻麻地分布在附近。准备好了吗？"

"到了，先生。你们打着灯笼在前面领路吧。我们能跟上。"一阵步伐沉重的脚步声。于是再次紧紧抓住帕克的军服外套。"那你呢，老伙计？哦，请原谅，莱韦特先生——我还以为您是帕克。"

"喂，温姆西——到了。"

眼前是更多的墓穴。只见一块墓石两头并不平行地斜歪着。沿着乱蓬蓬的杂草边缘向前急速行进一段路程，脚下踩着砾石发出了吱吱嘎嘎的声响。

"这边，先生们，小心台阶。"

停尸房里。原始的粗制红砖和丝丝作响的煤气喷嘴，还有两位穿着黑衣的女人以及格林姆波尔德大夫。随着砰的一声重响，棺材放到了停尸台上。

"你带了那把螺丝起子了吗，比尔？谢谢你。现在小心，用凿子。不需要把太多的东西用在这块板子上，先生。"

几声吱吱嘎嘎的长响，接着是一阵抽泣声。随后传来公爵夫人的声音，和蔼中透着坚定。

"啊，克里斯蒂娜。你不该哭。"

一阵含糊不清的抱怨。但丁作品中所描绘的那两个精力过人的伙计静悄悄地离开了——原来是这里身穿灯芯绒裤、敬业而懂礼仪的工作人员。

格林姆波尔德大夫的声音——就像在弗雷克的咨询室里那种声音一样冷静而超然。

"现在——您拿着那盏灯了吗，温盖特先生？谢谢您。好的，就请放在停尸台上的这里。小心啊，别伤着你的胳膊。莱韦特先生，如果您能到这边来，我想可能会更好一些。是的——是的——谢谢您。这样太好了。"

停尸台上突然打亮一盏电灯放射出耀眼的光圈。格林姆波尔德大夫的胡子和眼镜非常惹人注意。莱韦特先生沉重地喘着气。帕克躬着身子凑近了。济贫院的主事俯身在他身体的上方盯着看。房间里其余的人都站在煤气喷嘴和雾气更加浓重的昏暗沉闷里。

房子里响起几声低语。所有的脑袋都俯身开始工作。

格林姆波尔德大夫再一次——退到灯光下的光圈之外。

"我们不愿意在没有任何必要的情况下令您感到悲伤,利维夫人。如果您愿意,就告诉我们要找什么——是这个——?是的,是的,当然——而且——是的,在金牙那里停下来吗?是的——下颌,最后那颗右边仅有的一个吗?是的——没有掉过牙齿——不——是吗?什么样的痣?好的——就在左胸上方吗?哦,请原谅,就在——是的——阑尾下一点吗?好的,一个长长的——是的——在中间吗?好的,我很理解——这只是胳膊上的一个疤痕吗?好的,我不知道我们是否能找到那个——是的——任何细微体质方面的弱点,而那种弱点可能会——吗?哦,是的——关节炎——是的——谢谢您,利维夫人,这很清楚。除非我叫您,别再来了。现在,温盖特。"

又是一阵停顿。紧接着是一阵默默低语。"拖出来吗?死亡之后,您认为——哦,我也如此。您对这点能非常肯定吗?是的——我们不能失误,您知道的。是的,可是朱利安爵士不能到场有诸多原因。我在问您,科尔格罗夫大夫。好吧,您可以肯定——那正是我想知道的一切。请把灯靠近一点,温盖特先生,您用这个干什么?好的——好的——这样吧,那是非常正确的,对吗?是谁解剖的这只脑袋？哦，弗雷克——当然。我要说他们在圣·卢克医院解剖室里干得不错。太棒了，不是吗，科尔格罗夫大夫？一位出色的外科大夫——他还在硬汉俱乐部时我曾见过他。哦，不——多年以前见过。你的手放在里面什么也不像。啊——好的——毫无疑问就是它了。您手头有毛巾吗，先生？谢谢您。在脑袋上方，请——我想我们这里可能还有一条。现在，利维夫人——我想请您看看一个伤疤，然后看看您是否能辨认出来。我敢肯定您坚定的态度将给我们极大的帮助。抓住机会——您不会看到比您必须确定的更多一些的东西，无可置疑。"

"露丝，别离开我。"

"不会的，亲爱的。"

停尸台前腾出一块空地来。灯光照在了老公爵夫人的银发上。

"哦，是的——哦，是的！不，不——我不可能弄错的。上面就是那个可爱的小疙瘩。我已经看见过几百次了。哦，露丝——露丝——鲁本！"

"只要再坚持一小会儿，利维夫人。那个痣——"

"我——我想是这样——哦，是的，正是那个地方。"

"好的，而且还有一块疤痕——是三角形的，在胳膊肘上方吗？"

"是的，哦，是的。"

"这是吗？"

"是——是——"

"我必须确切地问您，利维夫人。您能从尸体上辨认出的这三个记号来判断那是您的丈夫吗？"

　　"哦，我必须，必须这样吗？他正是我先生。他就是鲁本。哦——"

　　"谢谢您，利维夫人。您一直非常勇敢，而且对我们也很有帮助。"

　　"可是——我还是不明白。他怎么会到这里来呢？谁能干这种可怕的事呢？"

　　"啊，亲爱的，"公爵夫人说，"那人一定会受到惩罚。"

　　"哦，可是——太残酷了！可怜的鲁本！谁可能想要伤害他呢？我能看看他的脸吗？"

　　"不，亲爱的，"公爵夫人说，"那不可能。走吧——你不应该让大夫们和这里的人感到悲伤。"

　　"不——不——他们全都是好心人。哦，露丝！"

　　"我们回家吧，亲爱的。您不再需要我们了吧，格林姆波尔德大夫？"

　　"不需要了，公爵夫人，谢谢您。我们非常感谢您与利维夫人的到来！"

　　房间里一时沉默下来。两位女人走出去时，帕克赶紧迎了上去，并且非常热心地护送着她们来到早就等在那里的汽车里。之后，格林姆波尔德大夫再次发起言来：

　　"我认为彼得·温姆西勋爵应该来看看——他所推断的正确性——彼得勋爵——十分痛苦不堪的——您可能希望看见——是的，我在调查会上感到很不自在——是的——利维夫人——非常明显的证据——是的——最令人震惊的案件——啊，帕克先生在这里——您和彼得勋爵完全判断正确——我是不是真正理解——真的吗？我简直无法相信这

212

样的事——这样出色的人——是的——看看这里！了不起的作品——了不起——当然知道，现在在一定程度上还有些模糊不清——但是最后，漂亮的部分——这里，您看，左半脑——还有这里——穿过尸体的条纹——还是这里——重击造成损伤的明确痕迹——太棒了——猜猜他——天啊，彼得勋爵，您不知道您对整个行业带来了多大的冲击——甚至是对整个文明世界！哦，我亲爱的先生！您要问我吗？我的嘴当然闭紧了——我们所有人的嘴都闭紧了。"

穿过墓地返回的路上，雾再次升起。他们依旧踩着潮湿的砾石路，发出吱吱嘎嘎的响声。

"你那边的人都准备好了吗，查尔斯？"

"他们已经走了。我送利维夫人上车的时候就把他们打发走了。"

"谁和他们在一起？"

"萨格。"

"萨格？"

"是的——可怜的家伙。他们找到他的时候，他正坐在总部的垫子上笨拙地琢磨着这件案子。西普斯关于夜总会的所有证词都得到了进一步证实，您知道。他给买杜松子药酒的那个女孩也被抓走了，而且还过来对他进行了辨认，他们认定这两个人的行为并未构成犯罪，于是释放了西普斯和霍洛克斯那个女孩。然后他们告诉萨格，说他超越了自己的职权范围，应该更加谨慎行事。所以他应该，如果他忍不住就是个傻蛋。我对他感到非常遗憾。事件结束时让他在场对他来说会有些好处的。无论如何，彼得，你和我都有特殊的优势。"

"是的。哦,那没什么关系。无论谁去都不会及时到达。萨格与别人一样。"

可是萨格——在他的职业生涯中很少的一次经历——及时赶到了。

帕克和彼得勋爵都呆在皮卡迪利一一○Ａ号。彼得勋爵正玩着自己的游戏,而帕克却在看《奥利根》,这时有通报说萨格来拜访了。

"我们已经抓到了要找的人,先生。"他说。

"很好!"彼得说,"活着吗?"

"我们到得很及时,爵爷。摁过门铃之后便径直从他的仆人身边冲到书房里。他正坐在那里写着什么。我们冲进去的时候,他猛地扑向他早已准备好的皮下注射器,但是我们的动作对他来说简直是太快了,爵爷。我们原本就没打算让他从手心里溜掉,跑到那么远的地方。我们对他进行了彻底的搜查,然后逮捕了他。"

"实际上,他现在就在监狱里吗?"

"噢,是的——非常安全——有两个巡逻兵守候着以防他逃跑。"

"您让我感到惊讶,探长。喝一杯。"

"谢谢您,我的爵爷。应该说我对您十分感激——这个案子对我来说结果很糟。如果我曾对您表现粗鲁的话——"

"噢,没关系,探长。"彼得勋爵急匆匆地说,"我不明白您怎么可能得出那样的结论来。我只是碰巧机会不错,能从别的地方了解到一些情况。"

　　"这正是弗雷克本人所说的。"在这位探长眼里，此时那位伟大的外科大夫已经完全是一名普普通通的犯罪分子了——只是一个简单的姓氏而已。"抓住他的时候，他正在整篇地写着忏悔书，而且注明是给尊贵的爵爷您的。警方应该没收的，当然，可是发现那是给您写的，于是我便抢先把它给您带了过来。就在这里。"

　　他递给彼得勋爵一堆文件样的材料。

　　"多谢您。"彼得说，"很高兴听到这样的消息，查尔斯？"

　　"非常高兴。"

　　随后，彼得勋爵便大声读了起来。

215

个非常谨慎的人，你是知道的，我总是这样。我想证明
你所说的情况。"

　　说着，他耸了耸肩，看上去俨然像是一副当铺老板
的模样。

　　"我会把证明拿给你看的。"我说，"可是这里并
不安全。今天晚饭后到我家来吧，我会把报告给你看看
的。"

　　"你怎么能拿到那份报告呢？"他说。

　　"我今晚会告诉你的。"我说，"晚饭后过来吧——
九点以后随时都行，就这么定了。"

　　"到哈里大街吗？"他问道，此时我已经看出来他
有要来的打算。

　　"不，"我说，"到巴特西——威尔士亲王大街，
我在医院还有一些事情要做。记住，"我说，"千万别
告诉任何人你要去我那里。今天我买了几百股，是以我
个人的名义，有人肯定得到了风声。如果别人知道我们
在一起，有人会了解到一些情况的。实际上，在我那里
可以更安全地谈论此事。"

　　"好的。"他说，"我不会对任何人说一个字
的。我会在九点左右到你那里。你能肯定做这件事情
合算吗？"

　　"错不了。"我给他吃了颗定心丸，而且我原来的
计划就是这样。

　　之后，我们便分手了，而我去了济贫院。我的那
位病人大约死于当天十一点。早饭后，我去看过他，
所以对于他的死并不感到奇怪。我与济贫院的权力部

门办完所有的常规手续，然后便安排晚上七点将尸体运到医院。

当天下午，哈里大街上一切如故，看上去并非只是我的天下。我找到住在海德家园附近的一位老朋友，结果发现他正准备起身前往布莱顿出差或是办别的事情。我和他一起喝了茶，然后在五点三十五分到维多利亚车站把他送走。从车站检票处出来的一瞬间，我突然想起要买一份晚报，于是我又不假思索地掉头来到书摊上。与往常一样拥挤不堪的人流此时正匆匆忙忙地赶向开往郊区的火车准备回家。可是就在我要离开书摊的时候，我才发现自己被卷进从地铁出来或是从四面八方突然逆向涌来的客流之中。经过好一阵挣扎我才脱出身来并搭乘一辆出租车回了家。直到我塌实地坐下来，我才发现别人的金边夹鼻眼镜卷在了我那件风衣的阿斯特拉罕羔羊皮衣领里。从六点十五分到七点的这段时间，我一直在策划、编造一份类似分红报告的材料准备给鲁本爵士看。

七点的时候，我去了趟医院，发现济贫院的搬运车正把我要的尸体运到侧门。我叫人把尸体直接运到实验示范室，并对手下威廉姆·沃茨说我打算那天晚上在实验室里工作。我告诉他我会自己准备尸体——注射防腐剂是一种非常不幸的复杂过程。我把他打发去干自己的事情，之后便回了家，而且吃了晚饭。我对自己的仆从说那天晚上我要在医院工作，而且让他像往常一样在十点三十分上床睡觉，因为我无法说清楚自己是否会回来很晚。他已经习惯了我反复无常而毫无规律的做事方材料收拾干净，然后上楼进了书房，摁响了电铃。仆人出现在我面前的时候，我要他锁好家里的一切，除了通往医院的那道暗门。我在书房里一直等着他完成我所吩咐的一切。到了大约十点半的时候，我听到那两个仆人上床睡觉去了。又等了一刻钟多一点，我便去了解剖室。我推着一辆担架车穿过暗道来到家门口，然后把利维弄了出来。可是要把他弄下楼是件非常麻烦的事情，但我压根儿就没有想到过要在一楼的任何一个房间里杀害利维。这样做是为了防止我不在的时候仆人们因为好奇而探头进去，或者在锁门的时候发现。如果出现这样的情况，那将是我今后必须处理的小麻烦。我把利维放在担架车上，推着他穿过暗道来到医院，并用他换下了那个非常有趣的乞丐。我当时感到遗憾的是不得不放弃自己原来的想法去看一眼那个乞丐的大脑，但是无论如何，我不能承担招惹怀疑的麻烦。当时的时间还算早，于是我挤出几分钟时间作好解剖利维的准备。随后我把那个乞丐放在了担架车上，又推着他回到我家。此时已经到了十一点零五分，因此我认为自己能够断定仆人们已经上床睡觉了。接着，我把尸体搬进我的卧室。这个家伙很沉，但是却比利维的分量稍微轻一点，而且我在登山方面的经验也教会了我该如何处理这具尸体。

这里面既有技巧也有力气，而无论从哪个方面来说，对于我这个身高来说我应该算是个身强力壮的人。我把尸体放在床上——不是因为我预料到在我不在的时候有人会进来寻查，而是因为如果他们可能到房间里来，就有可能也会刚巧看见我显然在床上睡着了。我把床罩向上拽过来盖住了他的头部，就是带有条纹的那种床罩，然后穿上利维的衣物，而且幸运的是那些衣物无论从哪个部位来说对我都稍微偏大一点。同时我也没有忘记带上他的眼镜、手表还有其他琐碎的东西。十一点半差一点时我到马路上找出租车。当时人们正开始从戏院里出来准备回家，而我也很轻松地在威尔士亲王大街的角落处为自己找到一辆出租车。我对司机说把我送到海德家园之角。到那里时，我还给了他不菲的一笔小费，并且让他一小时之后再到同样的地方去接我。他以一种理解的微笑表示同意，于是我便走进家园小巷。我在一只行李箱里随身带着自己的衣物，而且还带着自己的风衣以及利维的雨伞。来到九A号房间时，顶层的一些窗户里还亮着灯。我还是到得太早了，因为那位老人正要打发仆人们到戏院去。我等了大约几分钟，随后听到时间已经敲响到半夜都过了一刻钟。在此之后，那些灯光也很快一一熄灭了，于是我用利维的钥匙开门自己溜了进去。

在反复考虑谋杀计划的时候，我最初的打算是让利维从书房或者餐厅失踪，只留下一堆衣物扔在壁炉前的地毯上。我已确保利维夫人不在伦敦时发生意外事件，我还可以用某种办法让人更可能产生误解，尽管相比之下还不如原来计划的那样令人感到愉快而不可思议。我打开大厅里的灯，将利维那件湿乎乎的风衣挂了起来，然后把他的雨伞放在衣帽架子里。我沉重而有响动地上楼来到卧室，用地板上的副开关关闭了电灯。我非常熟悉这所房子，当然，我没有机会遇到那位男仆。老利维是个简单的老人，他总是喜欢自己为自己做事情。他自己的贴身男仆几乎没有什么工作，而且他在夜里也从不要求有任何随从陪伴。我在卧室里脱下利维的手套，然后换上一双外科手套，这样就不会遗留任何泄露天机的指纹。由于我想传递给别人的印象是利维已经像往常一样上床睡觉了，于是便径直上了床。要让一件事看上去已经做过，最确切而且最简单的办法就是干脆去做这件事情。比如说，用人的双手弄皱巴的一张床永远不会像已经有人睡过的床那样。当然，我没敢用利维的梳子，因为我的头发颜色不同，可是我做了其他所有的一切。我认为像利维那样喜欢思索的老人会把鞋子放在方便贴身男仆的地方，因此我应该推测得到他会折好自己的衣物。那是失误，但并非一个很重要的失误。联想到本特利先生那种无微不至而考虑周到的细微工作，我甚至还检查了一下利维的嘴看看他是否有假牙，但是他却没有一颗。尽管如此，我还没忘记弄湿他的牙刷。

　　一点钟时我从床上爬了起来，然后借助手电筒的光线穿上我自己的衣服。我不敢打开卧室里的电灯，因为光线会从窗户泄露出去。我穿上自己的靴子，还有一双旧的室外高统橡皮套鞋。楼梯和大厅的地板上铺着一张厚厚的土尔其地毯，因此我根本不担心会留下痕迹。我对是否要趁机撞响前面的大门产生了犹豫，可最终还是决定用前门钥匙会更安全可靠一些（钥匙现在就在泰晤士河里，我第二天把它从巴特西大桥上扔了下去）。我静悄悄地从楼上溜下来，然后竖起耳朵贴近信箱仔细听了几分钟。一个警察沉重的脚步声正从门前经过。等他的脚步渐渐远去听不到的那一刻我立刻走了出来，小心翼翼地把门推回去。门几乎没有任何响动地合上了，于是我离开去等那辆出租车。我穿着一件与利维的风衣有着同样款式的风衣，而且还谨慎地戴上了从我行李箱里取出的一只戏剧化的帽子。我希望那位司机不会注意到这次我没有带雨伞。幸运的是当时雨已经变成一种毛毛细雨，而且即使他注意到什么，他也没有发表任何看法。我让他停在滨海大厦楼群五十号，并在那里与他结清了费用，之后便站在入口的走廊下直到他开车离开。随后我赶紧绕到我家的侧门，由此回到家里。当时大约是两点差一刻，而且我计划的任务中更艰难的部分依旧摆在我的面前。

我的第一步就是改变被解剖尸体的模样以消除一切瞬间认定要么是利维要么是济贫院那个流浪汉的想法。我所考虑的所有必要就是进行表面的较大改变，因为在乞丐死后不可能会有任何兴师动众之势。对他很容易进行解释，而且能够代理他的人就在附近。如果利维最终被追踪到我家，要证明尸体实际上不是他也不会有困难。将胡子剃干净，再用一点发油，而且对指甲也进行了修整，这一切看起来足以表明我那位沉默的同伙有着鲜明的个性。他的双手在住院期间就进行过仔细清洗，尽管长有硬茧，却并不肮脏。我不能像我应该喜欢的那样把这项工作做得尽善尽美，因为时间在不停地流逝。我不能肯定我要用多长时间来处置他，更有甚者，我也担心尸体僵直的出现会使我的任务困难更大。我把他的胡子刮到我自己感到满意的时候就取来一张结实的单子和几卷宽绷带，然后小心翼翼地将他绑扎了起来，只要绷带可能擦伤或留下青肿的那些地方都用棉毛垫子垫了起来。

接着就是这件事情真正棘手的部分。在我的脑海里早就决定把他运走的惟一途径就是通过房顶。在这种潮湿的天气里从后面的花园经过会在我们身后留下一串毁灭性的印迹。携带着一具死尸半夜走在郊外的一条路上看上去似乎有悖社会行为规范。在房顶上，从另一方面来说，雨会在地面上背叛我，此时却会是与我并肩站立的朋友。

为到达房顶就必须把我的重负搬到房子的顶层，经过仆人们的房间，然后穿过储藏室房顶的活动天窗将他提升出去。如果只是我自己悄悄爬上去，用不着担心会惊醒仆人们，可是要搬动如此重负的一具死尸却要困难得多。如果男仆和他的妻子睡得很沉，要做这种事或许也是可能的，但是如果他们睡得并不踏实，步履沉重地踏在狭窄的楼梯上，还有打开活动天窗的嘈杂声只会正常地让别人听到响动。我踮着脚尖蹑手蹑脚灵敏地爬上了楼梯，然后在他们的门边仔细听了听。令我感到恶心的是，我听到男仆在床上翻身时发出抱怨的哼哼声和咕哝着什么的声音。

我看了看手表。所有的准备工作用了将近一个小时，从头到尾，而且我也不敢太晚了爬到房顶上。于是我决定采取一次大胆行动，而且正如情况发生时一样，还伪造出我不在犯罪现场的证据。我故意响声很重地走进浴室，弄出很大响动，拧开热水和冷水的阀门把水盛满，然后又拔掉了浴缸地漏的塞子。

我的管家过去就经常不时抱怨我在夜里很不规律地随时使用浴缸的习惯。水冲进水槽的响动不仅惊扰了房屋一侧威尔士亲王大街的入睡者，而且水槽还会发出特别大的汩汩作响和砰砰声，而这些管道也会频繁地释放出巨大的哼哼声。让我感到高兴的是，在这样一个特别关键的时刻，这个水槽却表现出极好的状态，就像火车站一样，发出喇叭的鸣叫声、汽笛声，还有轰鸣声。我让这些噪声持续发作了五分钟，之后，在我推算出那些入睡的人可能已经诅咒完我，把他们的脑袋塞在衣物下面挡住喧闹的时候，我把水流减小到很小的细流，然后离开浴室，而且故意十分小心地让灯亮着，并在出来后将门上了锁。紧接着，我就带上那个乞丐把他搬运到楼上，而且尽可能放轻了动作。

储藏间是仆人卧室和水房对面地板一侧上方的一间小阁楼。这个房间里有一个活动天窗，通过一段短小的木质梯子就能上去。我打开天窗，把那个乞丐举到上面，之后我也爬了上去。此时水还在源源不断奔涌到水槽里，发出的噪声就像是水要腐蚀消化掉铁链一样，而且伴随着浴室里减缓的水流，管道的哼哼声也几乎提升到近似一种喇叭鸣叫声。我再不担心任何人听到其他噪声了。爬到房顶上之后我把梯子也拖到了房顶上。

在我的房子与卡罗琳皇后公寓的最后一所房子之间有一段仅几英尺的空间。事实上，大厦建成的时候，我相信在一些老式天窗的问题上遇到了一些麻烦，可是我猜想可能各方面在某种程度上都进行了妥协。无论如何，我那把七英尺的梯子刚好横着能从里面出来。我把尸体紧紧地绑在了梯子上，然后推着梯子一直来到末端靠在对面房子的护栏上。之后，我迅速跑过水槽间和储藏室的房顶，然后轻而易举地来到另一侧，护栏令人感到愉快地修得低矮而狭窄。

剩下的事情就很简单了。我搬动着乞丐的尸体沿着公寓的房顶走去，打算把他扔下，就像是故事里讲的驼背人在别人的楼梯上或是滑下一个烟囱。我沿路走了一半时忽然想起："怎么回事呢，这里一定是那个小西普斯家所在的地方了。"我记得他那张愚蠢的脸以及他对于活体解剖的愚蠢饶舌之语。我忽然间非常愉快地感到把我的包裹处置给他，然后看看他怎么处理这具尸体是件多么令人开心的事情。我躺下身来，靠在背面的护栏上仔细观察。天漆黑一片，而此时再次下起了倾盆大雨，于是我冒险打开了手电筒。那是我所干过的惟一一件不够谨慎的事情，要是从房子对面被人看见这种琐碎之事也够麻烦的了。手电筒一秒钟的闪亮为我展示出我几乎不敢奢望的东西——在我的下方正开着一扇窗户。

我对那里的公寓非常熟悉以至于可以确定那个地方要么是厨房，要么就是浴室。我用随身携带的第三卷绷带打了个活套，然后在尸体的两只胳膊下系紧。我把绷带绕成一卷双层圈套，然后将一端固定在一只烟囱烟道的铁柱子上。随后我把我们的朋友摇晃着悬挂了起来。在他悬挂好之后我也借助于一只排水管的帮助自己从上面溜了下去，并很快将他从西普斯的浴室窗户里拖了进去。

到那时为止，我对自己感到十分骄傲，然后又用了几分钟利索地把他放倒下来，并让他保持得非常整洁。一个突然的灵感让我想到应该给他戴上那副我在维多利亚车站碰巧捡到的夹鼻眼镜。就在我到处寻找削铅笔刀来解开捆扎结的时候我从口袋里横着摸出了那副眼镜，而且我还注意到那副眼镜除了引起更多的误导以外，将给他的相貌带来怎样的差距与不同。我把眼镜架在了他的鼻梁上，尽可能地消除了我在场的所有痕迹，而且离开的时候就像我来的时候一样，从排水管和绳索之间轻松爬到房顶之上。

我静悄悄地往回走，再次跨过那道裂缝，而且还搬着梯子、拿着单子。我那个考虑周到的同伴以依旧不断的汩汩作响声和轰鸣声问候了我。我在楼梯上没有弄出一点响动。考虑到已经洗了四十五分钟的澡，我关掉了水阀，让我那些值得奖赏的仆人们能得到一小会儿睡眠，而且我也感到是我自己也睡一觉的时候了。

可是，首先，我不得不再绕行到医院去，把那里的一切做好安全的准备。我取下利维的头，破开了他的脸。在二十分钟之内，他的妻子就永远无法再辨认出他了。我又回到家，把湿乎乎的外科橡皮手套和面具扔在花园的门边，还把裤子放在我自己卧室的煤气炉上烘干，然后刷掉了所有的泥土和砖尘的痕迹。我也没有忘记在书房里把那个乞丐的胡子烧掉。

从五点到七点，我美美地睡了两个小时觉，然后我的仆人像往常一样叫醒了我。我为夜里让水一直流了那么长时间而且持续到很晚表示了抱歉，而且还补充说我认为自己早就该注意到那个水槽。

我饶有兴趣地表现出我对早餐感到特别不同的饥饿，以显示我在夜里的工作已经引起了一定程度的组织疲劳。在那之后我又回到解剖室里继续进行解剖工作。上午的时候，一个极其愚蠢的探长前来询问医院是否有尸体遗失。我让人把他带到了我的面前，并且十分高兴地向他演示了我正在对鲁本·利维爵士的脑袋所进行的解剖工作。之后我又与他一起辗转来到西普斯家，让我感到满意的是，我那个乞丐当时看上去十分让人信服。

股票交易市场一开门，我就给几个经纪人打电话，然后经过动作不大的运作，得以在日渐上涨的行情中将我先前购入的佩鲁维安股票的大部分进行了抛售。那天快结束的时候，由于探听到利维的死讯，几位买家变得非常不安，最终通过这场交易我只赚到了不过几百元的利润。

请相信我现在已经把一切您可能觉得模糊不清的情节交代清楚了，而且我要祝贺您因为不错的运气和灵气使您有幸打败我。我仍然诚心地向您的母亲致意。

您忠诚的朋友

朱利安·弗雷克

又及：我已立下遗嘱，将财产捐献给圣·卢克医院，而且把我的身体遗赠给同一所机构进行解剖。可以肯定我的大脑对科学界来说是会引起兴趣的。由于我将通过自己的手而死去，我想像到在此方面可能会存在一点困难。您是否愿意行个方便，如您可以的话，见见参与调查会的那些人并了解本人死后大脑是否并未受到笨拙大夫的破坏，并且按照我的意愿处置了尸体？顺便说一句，您可能会有兴趣知道我很欣赏您今天下午的来访。这次来访传达了警告，而且我也正为此采取行动。尽管对我会有灾难性的结果降临，我还是很高兴地意识到您从未低估过我的神经和智慧，而且拒绝接受注射。如果您服从了注射的建议，您当然永远无法活着回家。您的身体上将找不到任何注射过的痕迹，注射用的成分中包含着一种毫无伤害的马钱子碱备用品，里面混杂有一种几乎无法觉察到的毒药，因为此种毒药尚未经过辨别测试，一种浓缩的溶剂为——

手稿到此中断了。

"好了，一切都再清楚不过了。"帕克说。

"难道不离奇吗？"彼得勋爵说，"一切都很平静，所有那些大脑——之后他无法控制自己不写出这段忏悔以表明他是多么机灵，甚至脑袋伸出绞刑架的绳套也要炫耀一番。"

"而且对我们来说是件非常好的事。"萨格探长说，"去通知约翰·P·米利根先生和他的秘书，还有梅斯尔斯·克里姆普尔汉以及威克斯。我认为这些没有杀害利维的人都应该请来。"

"还有，别忘了西普斯一家。" 帕克先生说。

"没有任何原因，"彼得勋爵说，"会剥夺我与西普斯夫人共享快乐的。邦特！"

"爵爷，什么事？"

"拿破仑白兰地。"

《谁的尸体》再版的话

（《谁的尸体》一书收到塞耶丝小姐提供的一些修改和补充，其中有一段关于彼得·温姆西勋爵简短的个人传记作为附言。此稿供于一九三五年五月，由彼得·温姆西的舅父保罗·奥斯汀·达拉戈蒂口述。）

受塞耶丝小姐的邀请，我对她关于我外甥彼得有关经历的描写进行了一定补充，并对一些事实方面微不足道的小错误进行了修改。我很高兴能这样做。要在印刷品中公开展现所有男人的雄心壮志，而且作为为我外甥的成功不断奔走的男仆，在此我只会表现出适合我这种年纪老人的一种谦逊。

温姆西家族是个古老的家族——如果你要问我，我会说太古老了。在彼得父亲曾经做过的所有事情当中，惟一一件明智的事情就是将其已经衰落的家族与强大的达拉戈蒂家族法—英血统联姻。尽管如此，我的外甥杰拉尔德（现在的丹佛公爵）除了只是一个愚笨的英国乡绅以外，什么也不是。

还有我的外甥女玛丽也有些痴呆和傻气，后来她嫁了个警察才安顿下来。而彼得，我要高兴地说，像他的母亲和我。实际上，他是一个既有胆识又有谋略的人——可是单就这一点来说，也比像他的父亲和兄弟，还有杰拉尔德的儿子圣－乔治那样的人强多了，前两者只是长着健壮的肌肉却毫无头脑，而后者却总是神经紧张而过于敏感。他至少继承了达拉戈蒂家族的头脑和智慧，其次他还捍卫了不幸的温姆西家族的品格。

　　彼得出生于一八九〇年。当时，他的母亲正为其丈夫的行为（丹佛总是感觉到疲惫不堪，尽管直到朱比利时代他那桩轰动一时的丑闻才得以曝光）而焦急万分，而她的焦虑也可能影响到她的这个儿子。他是孩子里一个毫不起眼的苍白的小东西，非常焦躁不安，而且十分淘气，对于他当时的年纪来说，他是过于机警和敏锐了。他身上没有一点杰拉尔德那样强壮的身体美感，但是他却发扬了我最好能称之为优雅机灵的气质，当然比只是光有力气强多了。如果打球，他具备迅速而敏捷的眼神，而如果是骑马，他长着优雅灵巧的一双手。他具有仅仅是魔鬼自身才有的精神和勇气。还是在孩提时代，他受尽了噩梦的折磨与痛苦。令他父亲感到极为惊愕的是，他在成长的过程中对于书本和音乐表现出极大的热情。

　　他早年的校园生活并非十分愉快。他是一个过于讲究的孩子，所以我想，学校的同学把他叫做"钞票"，并且把他当成一种喜剧角色一样对待也是非常自然的事情。而且，他可能，出于纯粹的自我保护意识，也接受了自己这样的角色，进而退化成一个彻底得到认可的小丑一样的人，尽管伊顿公学里一些教游戏的老师还不曾发现他是个天生出色的小蟋蟀似的人物。打那以后，当然，他那些稀奇古怪的举止行为就完全被当成一种智慧为众人所接受，而杰拉尔德看见他那位受人藐视的弟弟变成了一个比他本人出色的大人物，居然也承受住了这种还算有益的打击。在他升到六年级的时候，彼得已经设法使自己变成了大红人——运动健将、学者、仲裁人等等头衔都冠在他头上。这个蟋蟀似的人物有很多事情要处理——伊顿公学的很多人都会记得这部"杰出的影片"，还有他抵制哈罗公学的演出——可是我却为自己把他看成一名优秀的裁剪师为大家进行介绍而感到荣幸，向人展示指出伦敦周围的路，教授如何区分葡萄酒的优劣。丹佛几乎从没为他感到过烦恼——他自己有太多纠缠不清的事情，而且另外杰拉尔德也占据了他很多时间和精力。可是杰拉尔德此时在牛津大学已经为自己赢得了一个傻瓜的荣誉称号。事实上，彼得与他的父亲从来就相处得不好，对于父亲的不端行为，他可以说是个无情而年轻的批评家。可是他对母亲的同情却给他的幽默感带来了毁灭性的影响。

丹佛，不用说，是最后一个不得不承认自己在儿女后代问题上失败的人。他花了好大一笔钱才将杰拉尔德从牛津事件中摆脱出来，而他也非常愿意把他的另一个儿子交到我的手里。事实上，在十七岁那年，彼得主动来到我的身边。当时对于他的年龄来说，他已经显得相当成熟，而且非常通情达理，于是我便把他当成一个深通世故的人。我把他安置在巴黎交给值得信赖的人照看。指导他做事必须建立起牢固的事物基础，让他明白在事情结束时要怀着对双方的美好愿望，并且对自己这一方表现大方得体。他完全证明了我的信任是正确的。我相信，没有一个女人能找到埋怨他的理由，而这些女人当中至少有两个人从此便嫁给了忠诚（忠诚的含义是非常模糊而难以界定的，我承认，但那也算是忠诚的一种）。这里，我要再一次坚持我应得的这一份荣幸。无论材质有多好，人们都必须努力向上，要把任何年轻人的社会教育都交给社会简直是太荒唐了。

这个时期的彼得的确魅力非凡，很坦率，也很谦逊，而且彬彬有礼，他身上焕发着真实而生动的智慧。一九〇九年，他以优异的学业成绩考进大学，在巴利奥尔攻读历史学。在此，我必须承认，他变得让人无法忍受。他甚至没有把世界放在眼里，认为整个世界都在他的脚下，而且还开始摆架子。他学会了装模作样，做事也表现出极其夸张的牛津方式，独断专行，无论是在大不列颠和爱尔兰的联盟内外，他还喜欢大肆鼓吹、炫耀自己的观点。尽管如此，我还是要为他公正地说一句，他从来就没有企图在他母亲和我的面前摆出一副屈尊俯就的样子过。丹佛外出狩猎弄断脖子的时候，他那时正在上大学二年级，而杰拉尔德表现出比我想像中更多一些的责任感。他最大的错误就是娶了他的表妹海伦，一个骨瘦如柴，生育过多却又假装正经的女人，而且还是个彻头彻尾的乡下女人。她和彼得彼此互不欣赏，可是他总能够在他母亲寡居的地方找到避难所。

后来，在他上牛津大学的最后一年里，彼得爱上了一个十七岁的小女孩，并立刻将他曾经所受到的教育抛到了九霄云外，忘得干干净净。他非常珍视那个女孩，把她看成仿佛是用薄纱织成的娇贵人物一样对待，却把我当成了一个铁石心肠而又冷酷无情的腐败老魔鬼，因为是我让他没有资格去触及她优雅的纯洁。我无法否认的是，他们是非常精致而般配的一对——都纯洁而高贵——就是人们常说的月光王子和月光公主，而月光可能会更容易接近污浊。彼得在二十年时间里与一个既没有头脑又没有个性的妻子要做什么事情，除了他的母亲和我，没有人不厌其烦地问起过，而他，当然，这时已经完全沉醉了。令人高兴的是，巴巴拉的父母认为她太小而不能结婚，于是彼得怀着埃格拉摩尔爵士一般的心情投入到他最后的读书时代，并获得了他的第一条龙，他要把自己的一级荣誉勋章像龙头一样摆在他的女士脚下，之后便安顿了下来准备进入一段德行检验的时期。

再后来，战争开始了。当然，这个年少的白痴在他参战离开以前会疯狂地想要结婚成家。可是他自己在荣誉方面的顾虑使他完全成为别人手里掌控的蜡像。有人对他指出，如果他残废了回来，将会对这个女孩极不公平。他先前从来就没有想到过这一点，于是他在狂乱的自我压抑之中仓促行动，解除了婚约，把她解脱了出来。对于这件事情我从来就没有插手干预过，而我对事情有这样的结果也感到非常开心，但是我无法忍受这样的中庸。

他在法国干得非常出色，而且当上了一名好军官，所有的人都非常喜欢他，如果您愿意的话。之后，他在休假期间带着他在十六部队的上尉头衔回到了故乡，可是却发现那个女孩嫁给了——一名拥有海军陆战队少校头衔的固执的流氓。她曾在医院护理过此人，而此人对付女人的座右铭就是迅速出击、残酷对待。这是一件极其残酷的现实，因为那个女孩从来就没有想到过要把情况告诉彼得。他们在听到他要回来的消息时便急急忙忙地结了婚，而他最终得到的一切就是一封信。这封信宣告了这桩既成事实，同时也提醒他一个事实，那就是正是他本人给了她自由。

我要为彼得说的话是，他径直找到了我，而且承认自己原本就是个傻瓜。"没关系，"我说，"你已经得到了教训。不要在另一个方面愚弄你自己。"于是，他怀着战死的坚定信念回到了他的工作之中，但是他所获得的一切就是他的少校军衔，还有他因为在德国前线不顾一切所干的出色的情报工作而获得了地区安全局官员的身份。一九一八年，他在爆炸中受伤，并被埋在一个弹坑里。这样的经历使他留下了最严重的精神崩溃，这种状况一直持续着，时好时坏，长达两年之久。从此以后，他就在皮卡迪利的一套公寓里安下身来，带着那个叫邦特的男仆（邦特最初曾是他的中士，而且后来以及现在都是他的下属，对他非常忠心），之后便重新开始了新的生活。

我要毫不介意地说我对所有的事情都作好了准备。他已经丧失了他所具备的全部美好坦诚，他把所有的人全都关在了自己的信任以外，也包括他的母亲和我。他对人采取的是一种令人费解的轻薄态度和一副半瓶醋业余爱好者的姿态，而且还变得，实际上，是彻底的丑角般的人物。他非常富有，而且可以做自己选择做的一切事情，而所有这一切带给我一些具有讽刺意味的享受，让我得以关注战后充满阴柔气息的伦敦做出怎样的努力才能降伏住他。"那是不可能的，"一位满心忧虑的女总誓说，"对过着隐士一般生活的可怜的彼得不会有任何好处。""夫人，"我说，"如果他以前就一直保持着他们的热情的话。他的确也实现了，我知道，在这件事情当中不会有赞成，但是却有自由的同意。

彼得现在四十五岁了，他也的确到了安家的时候。你们会发现在他的经历当中，我是他性格形成的众多重要影响之一。而且总的来说，我认为他为我争了光。他是一个真正的达拉戈蒂家族的人。在他的身上几乎找不到温姆西家族的影子，除了（我……）……责任。这种社会责任感从精神方面……不会引起所有的个人损失。不论是否是侦探，他还都是学者和绅士。我将非常高兴地看到他努力争取实现的目标是做一个怎样的丈夫和父亲。我是一个已经走向衰老的人，而且我也没有自己的亲生儿子（我很清醒地认识到这一点），我为遇见彼得开心而欣慰。可是正如他的母亲曾经说过的那样，"彼得总是拥有一切，除了那些他真正想要的东西以外。"而我认为他比大多数人都要幸运得多。

保罗·奥斯汀·达拉戈蒂

如果情况以这种速度发展下去，约翰·斯凯尔斯将会成为一个非常富有的人。他已经是一个受人羡慕甚至遭人嫉妒的人了，对于这一点，即使是任何没有一点常识的傻瓜都能想像得到，就像所有人都会猜测得到每天八点之后谁会经过国王大剧院那样简单。年迈的弗罗里厄多年以来一直带着她那一小盘火柴坐在角落里，可是她心里却有着各种不同的猜想，而她对国王大剧院所了解不到的情况也根本不值得人们知晓。当她不再对那些招贴广告进行修饰的时候（因一时疏忽，由火柴和薄纱样的帷幕引起了一场致命的事故给她留下了一张满是伤疤的脸和一支已经萎缩的胳膊），加上年迈的原因，她只好在剧院边上找到了自己的位置，但她依旧像一位母亲那样仔细看护着那里的财物。她知道，再也没有人比她更清楚，剧院在演出达到其最大容量时能够赚多少钱，剧院的薪水单是什么样，剧院所赚的钱有多少用于永久性的费用，票房收据里作者的那份可能达到多少等等。而且，除此以外，所有从舞台前的大门进进出出的人来了都会对弗罗里厄留下深刻印象。她陪伴着国王大剧院度过了幸福美妙与萧条惨淡的时光。她曾因各种不景气和有声电影的竞争所造成的惨淡日子而伤心不已，也曾为那些险恶的尝试演变成貌似素养很高的悲剧难过，还曾为所谓的过分严格管理方式所影响的灾难般的日子而感到悲痛和泪流满面。而那种管理也最终在一场丑闻事故中终结。她还为精力旺盛的加里克·德鲁里先生继《满怀憧憬的哈里·奎恩》演出取得巨大成功之后对剧院投入倾力管理而兴高采烈。加里克·德鲁里先生把那座老房子接管了过来，并且对剧院的内外都进行了重修（在重修剧院楼下正厅时顺便多加了两排坐位），还郑重地宣布了他准备打破剧院从前厄运的乐观决心。从那个时候起，她就亲眼目睹着该剧院借助其经历过良好锻炼的古老的冒险精神和传奇浪漫色彩这两只翅膀一路稳步高飞，走向繁荣辉煌。加里克·德鲁里先生是弗罗里厄所认定的那种演员式的经理（萨默塞特家族把他当成奥巴代亚·波茨，可是他并不因此而让人感到他的外表比现在更逊色），他顺从了自己的喜好而走上了出色的传统套路，并以自己独具魅力的个性逐步营造着自己的成功。他对于新的流派的戏剧思路从不发表意见，而且他对"合作"也只是口头上说些婉转的应酬之类的话。应该说他是非常走运的，因为他能在恰当的时候成功地开始了自己的经理生涯，而这个时候正好是人们已经对那些受到各个方面压抑的大丈夫们令人感到郁闷的悲情色彩以及对酗酒、疾病等相关人性化文件感到厌倦转而对精彩的浪漫故事发生浓厚兴趣的时候。人们希望在那样的浪漫故事中能有一位经历过自我牺牲的痛苦折磨却浑身富有浪漫气息的男主人公，在经过二到三幕剧情的发展，在整个故事行将结束的最后十分钟内终于找到自己心爱的女人。德鲁里先生（白天看上去四十二岁；灯光下看三十五岁，如果他戴上金色的假发套以及在追光灯下，你会认为他只有二十五岁或者更年轻）天生长得英俊潇洒，并因此能够获得姑娘们的供奉。他甚至学会了用 20 世纪的冷静来体现 19 世纪的多愁善感，而这种艺术手法的结合不但在办公室里受到了那些比如叫琼一样的女孩子们的喜欢，也同样受到了这个国度中像梅布尔姨妈们的欢迎。

尽管德鲁里先生每天晚上都会凭借着他这二十多年来的最大财富——紧张而精力旺盛——年轻敏捷而心情愉快地忙碌于他的罗尔斯沙龙，他总是会腾出一定的时间对弗罗里厄笑一笑，然后十分友善地聊上几句话，像影响着其他人一样影响着她的思想和心灵。如果人们知道他再一次成功地使《令人痛苦的荣誉桂冠》巡回演出次数达到第一百场，没有人会比弗罗里厄更感到高兴。每天晚上，她都会带着极为满足的窃笑注视着每一块招贴广告牌，而广告牌上总是会写着"正厅满座"、"剧院一层楼厅前排满座"、"顶层楼座满座"、"楼上厅台满座"、"剧院正厅所有前排满座"、"仅看台边座有空"、"全场满员"。剧院似乎永远这样运作着，那些从大门前的台阶走进去的一张张面孔看上去都显得十分愉快，而且还都非常兴奋的样子，这些都是弗罗里厄愿意并喜欢看到的一切。

至于那个提供原始剧本的年轻人，德鲁里先生正是因为挑上了他的作品，才铸造出如此辉煌的成功时刻。弗罗里厄认为，他不应该感到不满意，相反，他应该感到高兴才对。可是事实并非如此。通常而言，人们会对一场演出的作者想得不多——当然，除非他像莎士比亚一样与众不同；同演员们相比，他是无关紧要的，而且人们也很少有机会看见他。可是有一天，德鲁里先生与一位看上去阴沉着脸、穿着褴褛的年轻人搭着肩来到了剧院。德鲁里先生于是把他介绍给弗罗里厄，并且依旧用他那得体而大方的语调说："这位，约翰，就是你必须认识一下的弗罗里厄。她是能够给我们带来好运气的人——我们的发展不能没有她。弗罗里厄，这位是斯凯尔斯先生，他的新作将会创造出我们所有的财富。"德鲁里先生对于演出的预测从来就没有出现过差错，他拥有金钥匙一般的灵敏度。当然，在后来的三个月里，斯凯尔斯先生尽管依旧阴沉着脸，他的穿着已经明显改善了许多。

　　在这样一个特别的夜晚里——星期六，四月十五日，那天正好是《令人痛苦的荣誉桂冠》在完成日间全场爆满的演出之后准备进入它第九十六场整剧演出时——斯凯尔斯先生和德鲁里先生一起来到了剧院，当时两个人都穿着晚装，弗罗里厄特别注意到当时时间已经相当晚了。德鲁里先生只能抓紧时间赶进去，而斯凯尔斯先生却让人感到可恶地拦住了他，他因为剧情的开端与德鲁里先生发生了争执，并执意想劝阻德鲁里先生。尽管如此，德鲁里先生看上去并没有烦躁不安。他依旧微笑着（他的笑容，实际上有些片面而且略带着一些精明的笑容早就是众所周知的了），最后，他把手亲切地搭在斯凯尔斯的肩膀之上（德鲁里先生善于表辞达意的双手也是众人所熟知的），说："很遗憾，老伙计，现在不能停下来。幕布必须马上拉开，这个，你是知道的。演出之后过来见我吧——我会和那些演职人员们在一起。"随后，他便消失了，脸上依然带着他那精灵般的微笑，挥动着他那富含语意的手，而斯凯尔斯先生，在犹豫了片刻之后，也转身离开，并经过弗罗里厄一直待着的那个角落。他当时看上去依旧阴沉着脸，而且显得心事重重的。可是当他抬起头来时，正好看见弗罗里厄看着他，于是他冲着她笑了笑。斯凯尔斯的笑容里没有丝毫精明的机灵，但是那笑容让他看上去好看多了。

"哦，弗罗里厄，"斯凯尔斯先生说，"我们看来以后会有不错的前景，从经济方面来说是这样，不对吗？"

弗罗里厄热切地表示了自己的赞同。"不过这样的事情，"她评论道，"我们已经习以为常了。德鲁里先生简直棒极了。无论他干什么，人们都会期待着他。当然，"似乎感觉到自己说的并不很妥当，她连忙补充道，"他在挑选正确的剧本方面是聪明过人的。"

"哦，是这样的。"斯凯尔斯先生说，"这个演出，我想这个演出有点问题需要解决。不是很多，只有一点点。您看过这个演出吗，弗罗里厄？"

没错，弗罗里厄的确看过了演出。德鲁里先生非常热心，他总是会记得在演出季开始的早期就把一张票送到弗罗里厄的手里，即使剧院爆满，他也会如此。

"您对这个演出有什么看法吗？"斯凯尔斯询问道。

"我认为这个演出太好了。"弗罗里厄说，"我甚至都流泪了。当他只剩下一只胳膊回来，可是却发现他的未婚妻在一次鸡尾酒会上堕落了——"

"问题就在于此。"斯凯尔斯先生说。

"而且泰晤士河堤上的那一幕——简直太感人了，我想简直是精彩极了。当时他卷起了军服，对那个小姑娘说：

'我会要吃老本的'——斯凯尔斯先生，那是您在这场戏里安排的一个妙笔生花的伏笔。而他最终赢得胜利的那种方式——"

"是的，"斯凯尔斯先生说，"没有人会喜欢德鲁里把故事改得向那个方向发展。"

"当她回到他的身边时，他已经不再爱她了，后来，西尔维亚小姐接纳了他，并且爱上了他——"

"是的，是的，"斯凯尔斯先生说，"您认为那个部分感人吗？"

"非常罗曼蒂克，"弗罗里厄说，"而且在两个女人之间的那一幕戏——相当出彩。它让人感到激动不已。在剧情发展到结尾的地方，在他最终选择了自己真正的爱人时——"

"肯定会成功，不是吗？"斯凯尔斯先生说，"直奔主题。我很高兴您能这样认为，弗罗里厄。因为，当然，除了别的一些东西，这个演出还是会有很好的票房的。"

"我相信您，"弗罗里厄说，"您的第一个剧作，是吗？能够被德鲁里先生看上您真是太幸运了。"

"是的，"斯凯尔斯先生说，"我非常感激他。所有人都是这样说的，而且事实也是如此。今晚将会有两位穿着阿斯特拉罕黑色羔羊皮外衣、身材肥胖的先生到这边来商讨这部戏的电影版权。我是一个被人定制成功的人，弗罗里厄。而这一切也都是让人感到非常愉快的，尤其是在经历了五六年颠沛流离、食不裹腹的生活之后。没有足够的食物可吃就谈不上任何快乐可言，是吗？"

"那样的生活不会有任何快乐的。"弗罗里厄说，她对那样的生活深有体会，"我真是感到太高兴了。您最终能幸运地改变生活，亲爱的。"

"谢谢您。"斯凯尔斯先生说，"去喝点什么，为这个演出的顺利巡演干杯吧。"他在前胸衣兜里摸了一会儿。"给您。一个绿色的和一个棕色的硬币。三十先令。三十张银票。用它买一些您想要的东西吧，弗罗里厄。这可是血的代价。"

"怎么可以这样说呢！"弗罗里厄惊讶地说，"不过，你们这些从事写作的先生总是爱开些玩笑的。我认识那个可怜的米林先生，他写过一本书，书名叫《猫女》。《猫女》和《卖口红的女孩》过去倒是常常说明他这种人是靠写作那样一些书的血汗钱来维持生计的。"

真是一个不错的年轻人，弗罗里厄想。此时，斯凯尔斯先生已经从她的身边走开，虽然看上去有些古怪，或者说脾气方面稍稍有点与人格格不入，可那都是他与生俱来的天性。他对德鲁里先生的评价也非常高，虽说她偶然也能感觉到他所说的话里面带着些讽刺挖苦的意味。而且她压根儿不喜欢他所说的关于那三十张银票的玩笑话——那是《新约全书》里面讲的，可是《新约全书》（不像《旧约全书》）总是让人感到出言不逊，就像人们说"哦，上帝！"（没有人介意这种说法）和"哦，基督！"（弗罗里厄永远也无法忍受这种说法）之间存在着很大差别一样。如今，人们总是会说这样那样的话，但是三十先令毕竟是三十先令，斯凯尔斯先生简直太好了。

约翰·斯凯尔斯先生沿着莎弗特伯利大街没精打采地溜达着，脑子里一边在琢磨着在随后三个小时里到底要做些什么。就在他来到沃都尔大道拐弯处时，他遇到了一位朋友。他这位朋友是个瘦高的年轻人，身上穿着一件破破烂烂的大衣，而大半张脸却藏在一顶破旧的软塌塌的帽子下面，看上去就像是一只饿坏了的鹰隼。当时还有一个女孩和他在一起。

"你好，莫利！"斯凯尔斯说，"你好，谢里登！"

"你好！"谢里登说，"看一看谁在这里！那个大人物本人啊。伦敦城里人气日益旺盛的剧作家。老德鲁里的大红人斯凯尔斯。"

"别这么说。"斯凯尔斯说。

"你的演出看起来正巡演得蒸蒸日上。"谢里登继续说，"恭喜恭喜。蒸蒸日上，我是说。"

"上帝啊！"斯凯尔斯说，"你看过了吗？我确实给你送过票的。"

"你的确送过票来——你真好，还能在忙碌不堪的生活中想到我们。我们已经看过演出了。在现在这样以讨价还价为基调的日子里，可以说你在一个相当不错的市场里成功地出卖了自己的灵魂。"

"瞧着吧，谢里登——那不是我的错。我也和你一样感到恶心着呢，甚至说我比你感到更难受。可是我已经像个大傻瓜一样与人家签定了合同，可是我却没有一条可以自己支配控制的条款，直到德鲁里和他的制作人已经将剧本变成垃圾——"

"他并没有出卖他自己。"女孩说，"他是被别人利用了。你的这个崇拜者。"

"真是很遗憾。"谢里登说，"原来那应该是一部十分